La relation d'aide

Éléments de base et guide de perfectionnement

4e édition

Jean-Luc Hétu

Avec la collaboration de Catherine Vallée

Préface d'Yves St-Arnaud

La relation d'aide

Éléments de base et guide de perfectionnement

4e édition

gaëtan morin éditeur

CHENELIÈRE ÉDUCATION

La relation d'aide
Éléments de base et guide de perfectionnement, 4e édition

Jean-Luc Hétu

© 2007 **Les Éditions de la Chenelière inc.**
© 2000, 1994, 1990 gaëtan morin éditeur ltée

Édition : Sophie Jaillot
Coordination : Karine Di Genova et Nathalie Larose
Révision linguistique : Carole Pâquet
Correction d'épreuves : Suzanne Mc Millan
Conception graphique et infographie : Interscript

**Catalogage avant publication
de Bibliothèque et Archives nationales du Québec
et Bibliothèque et Archives Canada**

Hétu, Jean-Luc, 1944-

    La relation d'aide : éléments de base et guide
de perfectionnement

    4e éd.

    Comprend des réf. bibliogr.
Pour les étudiants du niveau collégial.

    ISBN 978-2-89105-977-0

    1. Comportement d'aide. 2. Counseling. 3. Psychothérapie
brève. 4. Comportement d'aide – Problèmes et exercices.
I. Titre.

BF637.H4H48 2007   158'.3   C2007-940155-4

 **gaëtan morin
éditeur**

CHENELIÈRE ÉDUCATION

7001, boul. Saint-Laurent
Montréal (Québec)
Canada H2S 3E3
Téléphone : 514 273-1066
Télécopieur : 514 276-0324
info@cheneliere.ca

ISBN 978-2-89105-977-0

Dépôt légal : 2e trimestre 2007
Bibliothèque et Archives nationales du Québec
Bibliothèque et Archives Canada

Imprimé au Canada

1 2 3 4 5 ITG 11 10 09 08 07

Nous reconnaissons l'aide financière du gouvernement du
Canada par l'entremise du Programme d'aide au développement
de l'industrie de l'édition (PADIÉ) pour nos activités d'édition.

Gouvernement du Québec – Programme de crédit d'impôt pour
l'édition de livres – Gestion SODEC.

Tableau de la couverture :
Solidaire
Œuvre de **Dimitri Loukas**

Né dans l'île de Chio, en Grèce, Dimitri Loukas a passé son enfance en France et il est maintenant citoyen canadien. Autodidacte, il s'intéresse au post-modernisme et à la géométrisation du gestuel.

Ses œuvres se fondent sur une organisation logique de lignes fluides. Elles contiennent de multiples déformations spatiales et chromatiques d'objets et de personnages.

Ses toiles sont exposées dans plusieurs musées et collections privées et publiques, tant en Amérique du Nord qu'en Europe. Elles sont présentées à la Galerie Michel-Ange de Montréal.

Dans cet ouvrage, le masculin est utilisé comme représentant des deux sexes, sans discrimination à l'égard des hommes et des femmes, et dans le seul but d'alléger le texte.

DANGER

LE
PHOTOCOPILLAGE
TUE LE LIVRE

Remerciements

Un livre ne s'écrit pas seul. Marilyn Hébert, ma conjointe, m'offre depuis longtemps le meilleur de ce qu'on trouve dans ce volume et d'une façon plus immédiate, elle m'a encouragé et soutenu délicatement tout au long de ce travail de réécriture.

Une multitude d'aidants en formation et d'aidés qui sont passés dans ma vie au fil des ans vont surgir au détour de bien des pages. Même s'ils demeureront dans l'anonymat, je veux saluer amicalement chacun d'eux pour leur apport précieux à l'atteinte des objectifs du volume.

Je remercie également les professeur(e)s anonymes dont les précieux commentaires ont contribué à orienter mon travail. J'adresse aussi un merci particulier à Catherine Vallée pour ses observations et ses suggestions judicieuses sur de multiples points, notamment les exercices. De leur côté, Lucie Biron et Marie-Josée Lagarde ont fourni des commentaires éclairés sur quelques points stratégiques. Enfin, des psychothérapeutes et d'autres intervenants m'ont aidé en répondant avec pertinence à quelques questions pointues : Thérèse Barrette, Renée Hétu, Pierre Lalonde, Jean-Pierre Lambert, Jean-Guy Ouellet et Maurice Sarrazin.

Tout cela pendant que Sophie Jaillot, mon éditrice, m'accompagnait du début à la fin avec un parfait mélange de compétence et de disponibilité. Un chaleureux merci à tous et à toutes.

Jean-Luc Hétu

Les lecteurs qui souhaitent faire part de leurs commentaires à l'auteur peuvent le faire en écrivant à l'adresse suivante : jeanluchetu@b2b2c.ca

Préface

Celui qui entreprend d'écrire un livre sur la relation d'aide accessible au profane s'engage dans une course à obstacles.

Un premier obstacle serait d'entraîner le lecteur dans le corridor étroit d'une discipline ou d'une méthode qui exige la maîtrise d'un jargon technique et une longue formation. Jean-Luc Hétu a évité cet obstacle. Il ne cherche pas à vulgariser. Il s'appuie sur une approche humaniste reconnue par les spécialistes, mais propose un modèle original qui contient suffisamment de substance pour initier un profane désireux de prendre au sérieux la relation d'aide.

Un deuxième obstacle serait de tomber dans la facilité en proposant des trucs ou des recettes qui réduiraient la relation d'aide à l'aspect technique auquel des chercheurs[1] attribuent le dernier rang pour expliquer l'efficacité d'une relation d'aide. Des techniques, il en existe. Elles sont présentées et très bien illustrées dans une série de chapitres brefs, mais jamais elles ne prennent le pas sur l'essentiel : l'établissement et le maintien d'une relation solide où aidant et aidé ont « le sentiment de travailler ensemble dans la même direction ».

Un troisième obstacle serait de simplifier à outrance la relation d'aide en croyant qu'il suffit d'écouter une personne pour qu'elle règle ses problèmes. Jean-Luc Hétu en est conscient. Après avoir précisé que la façon d'écouter est plus importante que le fait d'écouter, il souligne qu'il faut en plus réagir efficacement. L'organisation des chapitres souligne l'importance accordée à la façon d'écouter : avant même d'entreprendre la description des étapes (chapitre 3) et d'illustrer dans les chapitres qui suivent les principales techniques de la relation d'aide, un chapitre complet traite de la compréhension empathique, « la base du modèle de relation d'aide proposé dans cet ouvrage », selon les termes même de l'auteur.

---

1. Parts respectives de quatre éléments qui contribuent à un succès thérapeutique : 1) Le client : 40 % ; 2) La relation entre le thérapeute et le client : 30 % ; 3) L'espoir et l'anticipation : 15 % ; 4) Les modèles d'intervention et les techniques : 15 %. Asay, T. P. et M. J. Lambert. (1999). « The empirical case for the common factors in therapy : Quantitative findings ». Dans *The heart and soul of change : The role of common factors in psychotherapy, medicine and human services*, M. A. Hubble, B. L. Duncan et S. Miller (édit.). Washington, D.C. : American Psychological Association, p. 23-55.

Un quatrième obstacle serait de réunir des idées empruntées à différents auteurs sans les intégrer dans un modèle qui en assure la cohérence. À ce sujet, Jean-Luc Hétu présente un ouvrage bien documenté où il s'approprie les éléments qu'il a retenus de ses lectures. Son modèle lui permet d'inclure sans discordance des citations et des conclusions qui lui donnent de l'ampleur.

Franchir avec succès les obstacles est louable, mais encore faut-il apporter une contribution personnelle. Jean-Luc Hétu présente ici une œuvre originale, enrichie de son expérience, comme en témoignent les différentes éditions réparties sur vingt-cinq ans de carrière. Le modèle proposé n'est pas né dans les livres, mais dans la pratique illustrée par les nombreux cas qui servent de fil conducteur à la démarche pédagogique. Les exercices en font un ouvrage pratique qui permettra au lecteur profane de vérifier sa compréhension du modèle et de se l'approprier dans l'action. Partout, on constate que l'auteur vise à instrumenter le lecteur : résumé des chapitres, questions à se poser et exercices qui conduisent à l'action sur le terrain.

Bref, Jean-Luc Hétu nous présente un modèle d'intervention issu de sa pratique, mettant à contribution des recherches sérieuses afin que chaque personne puisse apprendre à aider efficacement ses semblables.

Yves St-Arnaud

Table des matières

Introduction

Nous disposons normalement des ressources requises pour maintenir notre intégrité et gérer notre existence d'une façon globalement satisfaisante. C'est ainsi que, au fil des jours, des mois et des années, nous prenons des milliers de décisions qui s'avèrent appropriées par la suite.

Mais, de temps à autre, nous nous retrouvons dans des zones de brouillard ou de turbulence, que ce soit lorsque nous nous sentons bousculés par la vie ou lorsque nous avons une décision compliquée à prendre.

Dans ces moments difficiles, nous ne recourons pas nécessairement à un psychologue ou à un autre thérapeute, mais nous n'en ressentons pas moins le besoin que quelqu'un nous écoute et nous aide à mieux nous comprendre et à surmonter nos difficultés. Trouverons-nous sur notre route ce confident attentif et bienveillant?

▪ La relation d'aide au quotidien

La relation d'aide vécue dans la vie de tous les jours est un processus spécifique qui se situe quelque part sur un continuum. À une extrémité, se trouve le simple fait de demander à une personne comment elle va, et d'accueillir attentivement sa réponse en réagissant avec un mot d'encouragement ou un conseil, ou simplement en lui montrant que l'on est sensible à ce qu'elle éprouve. À l'autre extrémité, se situe la démarche structurée de la psychothérapie, définie dans la section suivante.

La définition de la relation d'aide peut tenir en une phrase. Aider quelqu'un, c'est l'écouter parler de son problème en lui témoignant du respect, et réagir efficacement à ses propos. Si le respect est une condition indispensable, il ne saurait suffire. Pour qu'un entretien soit utile, il faut que les réactions de l'aidant fassent *bouger quelque chose* chez l'aidé. L'aidant doit donc aussi faire preuve de pertinence.

Des chercheurs ont dégagé quatre-vingts éléments susceptibles de faciliter la relation d'aide (Paulson, Truscott et Stuart, 1999). Par exemple, les aidés interrogés ont cité le fait que l'aidant écoutait, posait de bonnes questions, avançait à leur rythme, émettait parfois une opinion objective, leur donnait confiance en eux, etc.

Pour faciliter la compréhension, la recherche et la formation, on regroupe habituellement ces éléments *actifs* en une dizaine de types d'intervention. Ils constituent autant d'habiletés à acquérir que nous examinerons d'une façon systématique. Mais, établissons d'abord une distinction simple entre la relation d'aide plutôt informelle et la psychothérapie.

■ La relation d'aide et la psychothérapie

Contrairement à la relation d'aide dans le quotidien, la psychothérapie conventionnelle implique une démarche structurée, des rendez-vous hebdomadaires, par exemple. Elle exige également un investissement de temps important, habituellement entre dix et dix-huit mois (Rogers et Sanford, 1985, p. 1381), ce qui est cependant plus court que la cure psychanalytique qui s'étend sur plusieurs années.

La thérapie brève se déroule pour sa part en une dizaine d'entrevues (Steenbarger, 1992, p. 413). À la limite, en situation de crise, une seule rencontre peut parfois suffire, comme nous le verrons au chapitre 14.

La relation d'aide à laquelle nous nous intéressons ici se rapproche davantage de la thérapie brève et de l'intervention de crise que de la psychothérapie traditionnelle. Souvent informelle et situationnelle, elle est le fait d'intervenants de diverses disciplines : psychologues et travailleurs sociaux au premier chef, mais aussi psychoéduateurs, ergothérapeutes, personnel infirmier, préposés, personnel enseignant, orthopédagogues, agents de relations humaines, criminologues, etc. Enfin, plusieurs personnes pratiquent la relation d'aide dans le cadre d'un engagement bénévole tel que la visite de personnes âgées, seules ou malades, ou encore l'accompagnement des mourants.

On estime qu'une démarche brève a plus de chances de réussir lorsque l'aidé présente les caractéristiques suivantes (Steenbarger, 1992, p. 430) :

– il se débrouille généralement bien dans ses relations interpersonnelles (versus un sujet qui a habituellement des relations conflictuelles) ;

– il est conscient de son problème et motivé à le régler (versus un sujet qui nie ses difficultés) ;

– son problème est récent et circonscrit (versus un problème chronique et complexe).

Les principales ressources de l'aidant, outre ses habiletés spécifiques sur lesquelles nous reviendrons, sont le respect qu'il témoigne à l'aidé et l'aplomb qui lui vient de son expérience. La combinaison de ces trois types de ressources chez l'aidant est de nature à créer chez l'aidé le sentiment de confiance indispensable au succès de sa démarche.

Fait intéressant, les recherches démontrent massivement que cette confiance mutuelle (le sentiment de travailler ensemble dans la même direction) peut exister aussi bien dans la relation d'aide ou la thérapie brève que dans la thérapie traditionnelle, comme nous verrons plus loin.

■ L'initiation et le perfectionnement

L'objectif du présent ouvrage est d'aider le lecteur à se former au rôle d'aidant ou à se perfectionner dans ce rôle. Le contenu et la démarche proposée permettront soit de s'initier d'une façon sérieuse à la relation d'aide, soit de revoir systématiquement sa pratique pour débusquer et corriger ses erreurs éventuelles et acquérir certaines habiletés jusqu'ici laissées dans l'ombre.

Le contenu se limite à la dynamique de base de la relation d'aide. Il s'agit d'un ouvrage d'initiation et non d'un traité. Les notions présentées devront donc être approfondies et complétées par d'autres lectures. De plus, selon leurs professions respectives, les intervenants devront compléter le contenu à la lumière des aspects propres à chacune de leurs disciplines.

La présente édition comporte une mise à jour des éclairages théoriques, une clarification de plusieurs enjeux pour l'intervention, ainsi qu'une dizaine d'exercices additionnels destinés à aider l'utilisateur à s'approprier les différentes habiletés en cause, ce qui devrait rendre plus profitable encore l'usage du présent guide.

Chapitre 1

Une exploration
des types d'intervention

Les objectifs du présent chapitre :

- apprendre à distinguer différents types d'intervention ;
- s'interroger sur leur pertinence respective ;
- se faire une idée sommaire de son propre style d'intervention.

Une relation d'aide efficace est la combinaison d'une écoute attentive et d'interventions pertinentes (Scaturo, 2005, p. 58).

D'entrée de jeu, nous allons pénétrer au cœur de cette dynamique, à partir de quelques mots de huit personnes qui se confient à un aidant. L'examen des façons variées de réagir à ces confidences va nous permettre d'identifier les principaux outils dont l'aidant dispose pour s'acquitter de son rôle. Ces outils feront l'objet d'un examen systématique aux chapitres 5 à 14.

L'exercice proposé s'effectue avec l'aide d'un formateur, soit individuellement, soit en groupe, et se divise en cinq étapes.

▪ Première étape

Dans chacun des huit cas suivants, on énonce les premiers mots d'une personne qui se confie à un aidant. Pour chaque cas, il s'agit de choisir, parmi les huit interventions, celle qui semble la plus appropriée, et d'inscrire le numéro correspondant sur la première ligne de la grille fournie à la page 10 (ligne indiquée par une flèche). On ne choisit qu'une seule réponse par cas, même si l'on hésite entre deux.

Cas 1

«Il va falloir que je déménage dans une résidence un jour. Je me suis inscrite sur la liste d'attente. Quand ils vont m'appeler, il va falloir que je vende ma maison. Mais je ne me vois pas en train de déménager...»

1. «Ce n'est pas facile de penser à partir... »

2. «Comment vous sentez-vous, face à l'idée de déménager? »

3. «Bien des gens vivent dans leur logement jusqu'à leur mort. Pourquoi dites-vous que vous allez être obligée de partir? »

4. «Combien de temps cela peut-il prendre avant qu'un logement soit disponible dans une résidence? »

5. «Quitter sa maison, c'est un peu comme si on mourait. Est-ce que c'est le raisonnement que vous faites? »

6. «Avez-vous pensé à prendre contact avec un agent immobilier? »

7. « Oh ! Ne vous en faites pas. Vous verrez que, le temps venu, vous serez bien contente de ne plus avoir à vous occuper de votre maison. »

8. « Ma mère a vécu la même expérience que vous l'an passé. Elle a trouvé ça difficile, elle aussi. »

Cas 2

« Ma fille divorcée sort avec un homme marié. J'ai toujours fait confiance à son jugement, mais là, je ne peux pas accepter ça. Il faut que je lui parle, mais j'ai peur de sa réaction. »

1. « Pensez-vous être la mieux placée pour intervenir, ou aurait-elle une sœur ou un frère en qui elle a vraiment confiance ? »

2. « Cette fois-ci, vous trouvez qu'elle commet une grosse erreur... »

3. « C'est tellement contraire aux valeurs que vous lui avez transmises que vous sentez la responsabilité d'intervenir comme quand elle était jeune. »

4. « Moi aussi, je trouverais ça délicat si j'étais dans votre situation. Je me sentirais partagée entre mes valeurs personnelles et le respect des choix de l'autre. »

5. « En discutant ensemble, on devrait trouver une façon de résoudre votre problème. »

6. « Cette fois-ci, vous vous dites qu'elle ne doit plus avoir tout son jugement... »

7. « Quand vous êtes-vous aperçue de cette liaison ? »

8. « Si votre fille était devant vous, qu'est-ce que vous auriez envie de lui dire ? »

Cas 3

« Quand je suis dans un groupe, je me sens vite mal à l'aise. Avec quelques amis, ça va, je suis plutôt spontané. Mais dans un groupe, je me fige. Je ne sais pas quoi faire avec ce blocage-là. »

1. « T'es-tu toujours senti comme ça, ou est-ce que c'est récent ? »

2. « As-tu pensé faire un exercice de relaxation juste avant ? Par exemple, prendre de grandes respirations et te dire que tout va bien aller... »

3. « Je me suis longtemps senti comme ça, moi aussi, jusqu'au jour où j'ai réalisé que je n'étais pas plus bête que les autres. »

4. « Se pourrait-il que tu tiennes à être toujours accepté ? Que tu aies peur d'être rejeté par le groupe si tu ne dis pas la bonne chose ? »

5. « Peux-tu me dire quels sont les risques que tu cours dans un groupe ? »

6. « Peux-tu donner un exemple d'une situation récente où tu t'es trouvé mal à l'aise dans un groupe ? »

7. « Tu sembles être une personne équilibrée. Tu devrais pouvoir t'en sortir assez facilement. »

8. « Quand il y a plus de trois ou quatre personnes autour de toi, tu te sens observé et ça te bloque... »

Cas 4

« Ma fille de huit ans a recommencé à mouiller son lit. Je n'aime pas ça. D'autant plus qu'avec mon nouvel emploi, je n'ai pas le temps de laver des draps trois ou quatre fois par semaine. »

1. « Ça me touche, votre problème, parce que j'ai eu le même avec mon dernier enfant. Sans compter que mon mari, lui, me boudait un peu à cause de ça. »

2. « Votre nouveau travail vous amène à être moins présente à la maison... »

3. « Pensez-vous qu'en réveillant votre fille pour l'amener aux toilettes au milieu de la nuit, ça pourrait l'aider ? »

4. « Vous dites "je n'aime pas ça". Vous n'aimez pas laver plus de draps ou constater que votre fille est affectée par votre nouveau travail ? »

5. « Est-il possible que votre fille réagisse inconsciemment au fait que vous êtes moins présente auprès d'elle qu'avant ? »

6. « Votre fille a déjà eu ce problème-là dans le passé ? »

7. « Ce que je comprends, c'est que le comportement de votre fille vous contrarie. »

8. « C'est probablement une réaction passagère à votre nouveau travail. Je ne pense pas qu'il y ait de quoi s'inquiéter. »

Cas 5

« Mon fils de trente-six ans m'a demandé de l'argent pour acheter une voiture. Ça fait un an que je lui dis de chercher du travail. Il n'a plus d'allocations de chômage et d'après lui, sans voiture, il ne peut pas se trouver de travail. »

1. « Ça ne doit pas être facile d'avoir un enfant de cet âge qui nous donne l'impression de ne pas vouloir se prendre en main... »

2. « Est-ce que votre fils a un métier ? »

3. « Qu'est-ce que vous auriez envie de lui dire, si vous ne vous reteniez pas ? »

4. « Vous pourriez peut-être vous porter garant d'un emprunt à son nom. Il se sentirait peut-être plus responsable de vous rembourser cet argent. »

5. « Ça me fait un peu réagir. Je me dis que si j'étais son père, il n'aurait pas un sou. Mais c'est toujours plus facile de régler le problème des autres... »

6. « Au fond, vous vous sentez un peu manipulé... »

7. « Donc, il va l'avoir, sa voiture ? »

8. « D'après moi, vous vous sentez encore responsable de lui. C'est pour ça que sa demande vous préoccupe tant. »

Cas 6

« Notre fils de vingt-deux ans est en décrochage scolaire et il vit encore chez nous. Il nous emprunte continuellement de l'argent, il amène ses amis manger à la maison et écouter de la musique très forte à n'importe quelle heure... On se demande combien de temps ça va durer... »

1. « En quelque sorte, vous avez envie de le mettre à la porte. »
2. « Vous ne lui demandez pas de partir parce que, même s'il est majeur, vous vous sentez encore responsable de lui. »
3. « Ça doit être pénible à vivre comme situation. »
4. « Vous avez hâte qu'il parte, mais vous n'osez pas le lui dire... »
5. « Qu'est-ce que vous prévoyez faire ? »
6. « Savez-vous s'il existe des programmes spéciaux pour aider à reprendre les études ? »
7. « Est-ce que votre fils a déjà exprimé l'idée d'aller vivre en appartement ? »
8. « Je vous trouve héroïque d'endurer ça. En même temps, j'ai l'impression que ça aiderait votre fils si vous lui mettiez des limites claires. »

Cas 7

« Je vais très souvent au McDonald's au coin de la rue. Mais je n'en parle pas au médecin, parce que depuis que je suis enceinte, il ne veut plus que j'y aille. Il m'a dit de me faire de vrais repas. »

1. « Tu pourrais aller au McDonald's seulement une ou deux fois par semaine. »
2. « Depuis qu'il t'a dit ça, tu dois te sentir un peu coupable d'aller manger là. »
3. « As-tu l'impression que le médecin s'en fait pour rien ? »
4. « Manges-tu autre chose dans l'avant-midi ou dans l'après-midi ? »
5. « Je sais que ce n'est pas facile de changer ses habitudes. »
6. « Moi, quand j'attendais mon premier enfant, mon médecin m'avait mise au repos, mais je ne l'écoutais pas. Il s'arrachait les cheveux ! »
7. « Qu'est-ce que ça t'a fait de te faire interdire ça par ton médecin ? »
8. « Le fait d'être enceinte, ça complique un peu les choses. »

Cas 8

«Aujourd'hui, je n'en veux plus à mon père. Dans ce temps-là, le chef de famille avait tous les droits, à cause de son rôle de pourvoyeur de fonds. Sur le plan sexuel, il ne faisait pas de différence entre sa femme et sa fille. Comment veux-tu qu'une enfant de douze ans se défende seule contre son propre père?»

1. «Encore aujourd'hui, tu trouves que tu étais bien jeune pour être forcée de vivre ça.»

2. «Si ton père était devant toi maintenant, qu'est-ce que tu aurais envie de lui dire?»

3. «Ta mère était-elle au courant?»

4. «Tu ne lui en veux plus, mais en même temps, l'inceste, ça laisse des marques...»

5. «Tu sais, il existe des groupes de personnes qui ont été victimes d'inceste. Tu ne crois pas que ça pourrait t'aider?»

6. «C'est probablement parce que ta mère ne se sentait pas capable d'affronter ton père qu'elle n'est jamais intervenue.»

7. «J'ai une cousine qui a vécu une expérience semblable. Elle a appris à vivre avec son passé et aujourd'hui, elle est heureuse et elle va bien. Elle me fait penser à toi...»

8. (Même intervention que la précédente.)

■ Deuxième étape

On revient maintenant au premier cas et, sur une feuille à part, on décrit en quelques mots ce que l'aidant fait ou essaie de faire dans chacune des huit interventions de ce cas. Par exemple, pour la première intervention, on peut dire que l'aidant essaie d'être compréhensif, ou encore qu'il tente d'attirer l'attention de l'aidée sur son problème.

On fait de même pour les sept autres interventions. On se reporte ensuite au tableau suivant pour comparer ses descriptions à celles qui y sont fournies.

Reflet ou reformulation	Traduction dans ses propres mots du sentiment de l'aidé (reflet) ou de ses propos (reformulation).
Focalisation	Intervention invitant l'aidé à explorer avec plus de précision un aspect de son vécu ou de son problème.
Confrontation	Intervention par laquelle on amène l'aidé à remettre en question ses façons de voir ou ses façons de faire.
Question fermée	Question à laquelle on doit répondre par un oui ou un non, ou par une brève information objective.
Interprétation	Intervention par laquelle on essaie de faire comprendre à l'aidé la nature ou l'origine de son problème.
Recherche de solutions	Intervention par laquelle on attire l'attention de l'aidé sur des façons de résoudre son problème.
Soutien	Intervention visant à rassurer l'aidé ou à le confirmer dans ses ressources.
Implication	Intervention par laquelle on fait référence à son propre vécu pour stimuler l'aidé dans son exploration ou lui apporter du soutien.

Si l'exercice se fait en groupe, le formateur recueille à ce moment-ci les descriptions des participants pour la première intervention, puis il les compare immédiatement à celle qui est présentée dans le tableau.

On s'interroge alors brièvement sur la valeur de ce type d'intervention : est-elle utile, y a-t-il des cas où cela peut être contre-indiqué et pourquoi ?, etc.

On passe ensuite à la deuxième intervention du premier cas, on essaie de l'identifier puis on l'évalue brièvement, et ainsi de suite.

■ Troisième étape

Les huit interventions du cas 1 sont maintenant identifiées, sommairement définies et évaluées. On transcrit alors dans la colonne de gauche de la grille personnelle fournie à la page 10 le nom de chacun des huit types d'intervention présentés dans le tableau ci-dessus. Puis on se reporte au premier cas et on inscrit, dans la rangée appropriée de la grille, le numéro qui correspond au type d'intervention comme le montre la figure 1. On fait alors de même pour les sept autres cas.

	Cas n° 1	Cas n° 2
Votre réponse →	8	1
Reflet-reformuation	1	2
Focalisation	2	7
Confrontation	3	1

Figure 1 ■ Un exemple

Ainsi, dans l'exemple proposé ci-dessus, le répondant a privilégié l'intervention 8 pour le cas 1 et l'intervention 1 pour le cas 2 (première étape de l'exercice). Il a par ailleurs jugé que la deuxième intervention du cas 2 était un reflet-formulation, que la septième intervention du cas 2 était une focalisation et que la première intervention du même cas était une confrontation.

■ Quatrième étape

Au cours de la quatrième étape, on compare sa propre classification, donc sa propre grille, à celle proposée dans le corrigé à la page 181.

■ Cinquième étape

Enfin, en dernier lieu, on encercle dans cette même grille de la page 181 le numéro de l'intervention que l'on avait choisie pour chacun des huit cas à l'étape 1 de cet exercice. Le fait que plusieurs réponses encerclées se trouvent sur une même ligne renseignera sur le type d'intervention que l'on est porté à privilégier alors. Les réflexions proposées dans la suite de l'ouvrage permettront à chacun d'évaluer la pertinence de son approche spontanée et de la modifier au besoin.

Votre réponse →	Cas 1	Cas 2	Cas 3	Cas 4	Cas 5	Cas 6	Cas 7	Cas 8

■ La première intervention

Les personnes qui font cet exercice se demandent souvent s'il y a une bonne réponse pour chacun des huit cas. Cette question en amène une autre : « Y a-t-il une bonne façon de commencer un entretien ? » Il n'y a pas de réponse unique à cette question, mais voici tout de même quelques points de repère.

Dans la relation d'aide, le silence doit être le type d'intervention à privilégier, que ce soit au tout début de l'entretien ou par la suite. On parle bien sûr d'un silence délibéré, attentif et accompagné d'un contact visuel et d'une posture qui communiquent de façon non verbale à l'aidé le message suivant : « Continuez, je vous écoute. » Nous reviendrons sur le silence au chapitre 5.

Lorsqu'on sent venu le moment d'intervenir verbalement, c'est habituellement le reflet qui constitue le type d'intervention approprié, pour consolider le contact, faire écho à ce qui a été partagé et aider le sujet à se centrer sur ses sentiments, comme nous le verrons au chapitre 6.

Mais on peut souvent atteindre les mêmes objectifs à l'aide d'une focalisation bien orientée. Si l'aidé éprouve une émotion intense, il faut toutefois utiliser d'abord le reflet pour lui faire sentir qu'on a perçu sa peine, sa colère ou tout autre sentiment qu'il éprouve.

Dans les autres cas, une focalisation peut favoriser, d'entrée de jeu, l'exploration du problème par l'aidé, comme nous le verrons au chapitre 7. Si cette focalisation lui permet de s'exprimer sur son vécu, l'aidé se sentira écouté et compris par l'aidant. En plus de favoriser l'exploration du problème, la focalisation aura aussi pour effet de consolider la relation. Soit dit en passant, une question fermée peut parfois avoir le même effet, à condition bien entendu qu'elle porte sur un point important pour l'aidé, sous peine de le distraire dans son exploration.

Lorsqu'on se sent à l'aise et que l'aidé n'est pas aux prises avec une émotion forte, on peut parfois commencer l'intervention en recourant à une confrontation. Ce type d'intervention indiquera tout de suite à l'aidé qu'on est là pour le faire réfléchir et le faire avancer, et qu'on a assez confiance en ses ressources pour *mettre de la pression* sur lui dès le début. Une confrontation formulée avec respect pourra ainsi contribuer à créer, dès le départ, une certaine complicité avec l'aidé. Nous y reviendrons au chapitre 8.

Il peut arriver, bien que plus rarement, que la première intervention verbale de l'aidant consiste à énoncer une solution. Prenons l'exemple d'une femme qui exprime en début d'entretien de fortes insatisfactions et une grande lassitude face à son conjoint. L'aidant pourra lui demander : « Est-ce que c'est à un point tel que vous pensez le laisser ? » Il se pourrait qu'une rupture finisse effectivement par apparaître à la personne aidée comme la solution à son problème, mais en début d'entretien, une telle intervention, qui est techniquement une recherche de solution, ne vise qu'à stimuler l'exploration du problème.

Dans des situations de crise ou de forte intensité émotive, on peut aussi avoir recours au soutien, au contrôle (que nous aborderons au chapitre 14) voire à l'implication, ou encore à une combinaison de ces types d'intervention. Voici un exemple d'intervention qui passe successivement de l'implication au contrôle, puis au soutien : « Ah ! Je suis désolé d'apprendre ça. Écoute, ferme la porte, assieds-toi, raconte-moi comment ça s'est passé, et je vais faire de mon mieux pour t'aider. »

Il n'a pas été question jusqu'ici de l'interprétation réservée à la compréhension qui, comme nous le verrons au chapitre 3, constitue la 2e étape de notre relation d'aide. En théorie, un aidé pourrait se trouver à cette étape dès le début de l'entretien, par exemple s'il a déjà exploré son problème en d'autres occasions. Mais, même dans un tel contexte, il serait plus indiqué de commencer par utiliser la focalisation. Par exemple : « Comment pourrais-tu t'expliquer cette réaction ? »

En résumé, pour la première intervention, les outils les plus indiqués sont habituellement le silence, le reflet et la focalisation. Dans les chapitres 5 à 14, nous examinerons en détail chaque outil que notre exploration a permis d'identifier ainsi que quelques autres, soit le silence, le contrôle, l'information et le résumé.

▪ Un coffre à outils

Une comparaison entre notre coffre à outils et celui de différents spécialistes fait ressortir un large recoupement entre leurs ensembles d'habiletés et le nôtre. Quant aux différences, elles semblent minimes. Par exemple, nous considérons le silence comme un outil majeur. On peut supposer que les autres auteurs reconnaissent eux aussi l'importance du silence, mais qu'ils ne l'incluent pas dans leur liste parce que celui-ci ne représente pas une intervention verbale. Regardons de plus près.

Ivey, 1994, p. 262.	Hill et O'brien, 1999, p. 366-371.	Okun, 2002, p. 80-82.	Hétu
			Silence
Reflet	Reflet	Reflet	Reflet
Reformulation	Reformulation	Reformulation	Reformulation
Question ouverte + Invitation à clarifier*	Question ouverte	Question ouverte + Invitation à clarifier	Focalisation (surtout à l'aide de la question ouverte)
Encouragement	Approbation/ Réassurance		Soutien
Question fermée	Question fermée		Question fermée
Confrontation	Confrontation	Confrontation	Confrontation
Interprétation	Interprétation	Interprétation	Interprétation
Information	Information	Information	Information
Conseil/ Suggestion	Conseil	(Conseil**)	Recherche de solution
Directive	Contrôle		Contrôle
Implication	Implication		Implication
Rétroaction (*Feedback****)			

*   Ceci se fait essentiellement à l'aide de questions ouvertes ou fermées (Ivey, 1994, p. 227).

**   Nous utilisons les parenthèses car le conseil ne fait pas partie de la liste des interventions « les plus fréquentes » dressée par l'auteure. Cependant, celle-ci précise plus loin que le conseil constitue une intervention acceptable, dans la mesure où on ne l'impose pas à l'aidé d'une façon plus ou moins subtile.

*** La rétroaction (*feedback*) vise à attirer l'attention de l'aidé soit sur ses performances et sur ses ressources, soit sur la façon dont les autres le perçoivent (Ivey, 1994, p. 284). À ce titre, il s'agit d'une habileté plutôt utilisée dans la relation d'aide en groupe (les exemples que l'auteur présente sont d'ailleurs empruntés à des situations de groupe). Dans un entretien individuel, la rétroaction (*feedback*) survient lorsque l'aidant communique à l'aidé la façon dont il le perçoit ou dont il réagit à ce que l'aidé dit ou fait, ce qui rejoint alors l'implication.

Chapitre 2

La compréhension empathique

Les objectifs du présent chapitre :

- explorer quatre facettes de l'empathie à partir d'un fait vécu ;
- examiner les effets habituels de la compréhension empathique sur l'aidé.

N.B. La quasi-totalité des exemples présentés dans ce volume sont des cas vécus où les noms et parfois quelques détails ont été changés.

En matière de relation d'aide, la bonne volonté ne suffit pas et l'aidant doit pratiquer un art délicat: celui de la compréhension empathique.

■ La perte d'emploi de Martin

Martin se retrouve en chômage et il se confie à René, une personne de son entourage.

Martin	— L'usine où je travaillais vient de fermer ses portes. Ça faisait quinze ans que je travaillais là.
René	— Pouvez-vous m'expliquer pourquoi?
Martin	— C'est parce qu'elle a été fusionnée avec une autre. Ce projet était dans l'air depuis longtemps.
René	— Qu'est-ce que vous avez fait après l'annonce de la fermeture?
Martin	— Le syndicat a négocié avec l'entreprise. Ils voulaient baisser notre salaire de 2,50 $ l'heure, ou bien fermer une des deux usines. Ils ont fini par fermer la nôtre, et tout le monde s'est retrouvé au chômage.
René	— Pourquoi l'entreprise voulait-elle baisser autant les salaires? Il me semble que 2,50 $ l'heure, c'est beaucoup...
Martin	— C'était pour baisser les coûts de production, pour mieux affronter la concurrence étrangère. [...] On ne s'attendait vraiment pas à ce qu'ils ferment notre usine, qui était bien mieux équipée que d'autres.
René	— Est-ce que la perte de votre emploi a affecté votre vie de couple?
Martin	— Non. Mais il a fallu refaire notre budget, renégocier l'hypothèque... Mais, comme je vous le disais, je ne m'attendais vraiment pas à ce qu'ils ferment notre usine...
René	— Est-ce que le fait de ne plus avoir de salaire a changé vos projets?

Martin a besoin d'absorber un choc qui bouscule sa vie et qui ébranle son image de soi: il était travailleur et le voici chômeur. René fait de son mieux pour l'aider, mais il ne réussit pas vraiment à rejoindre Martin dans son vécu, ses interventions étant surtout centrées sur des faits extérieurs.

Pour mieux faire ressortir cette difficulté de René à rejoindre Martin, imaginons un scénario différent.

Martin	— L'usine où je travaillais vient de fermer ses portes. Ça faisait quinze ans que je travaillais là.
René	— Ça doit vous faire tout un choc...
	et non
	— Pouvez-vous m'expliquer pourquoi ?
	Et plus loin dans l'entretien :
Martin	— [...] tout le monde s'est retrouvé au chômage.
René	— Donc, vous vous êtes retrouvé subitement devant rien...
	et non
	— Pourquoi l'entreprise voulait-elle baisser autant les salaires ?

René ne réussit pas à percevoir les sentiments que Martin exprime pourtant assez clairement, et à lui témoigner cette compréhension. Bref, malgré sa bonne volonté, il manque d'empathie.

▪ Quatre facettes de l'empathie

L'empathie est à la base du modèle de relation d'aide proposé dans cet ouvrage. Avoir de l'empathie signifie littéralement *sentir de l'intérieur*. Pour aider une personne, il faut la rejoindre sur son terrain, c'est-à-dire comprendre comment elle perçoit et sent les choses. Mais l'empathie est un phénomène complexe, et pour y voir plus clair, nous allons examiner ses principales facettes.

▪ L'empathie comme expérience humaine de base

En voyant un enfant tomber de bicyclette et s'écorcher un genou, on éprouve un pincement au cœur et spontanément nous montent aux lèvres des mots comme :

« Pauvre petit ! » S'il n'y a personne autour, on ira peut-être l'aider à se relever en l'encourageant : « Ça fait mal, mais ce n'est pas grave. »

Sur le plan fondamental, l'expérience de l'empathie est à la base des rapports sociaux, car elle nous inspire des comportements d'entraide et de coopération, et ce, autant à l'endroit de nos proches qu'à l'égard de purs étrangers (Shamasundar, 1999, p. 234).

Cet exemple nous fournit une première définition de l'empathie : une réaction émotive déclenchée par l'état émotif d'une autre personne (ce qui nous rapproche beaucoup de la sympathie, qui signifie littéralement *sentir avec*). À cet égard, les parents sont normalement empathiques, c'est-à-dire qu'ils savent – parce qu'ils le sentent ou le déduisent à partir de certains indices – que leur enfant est triste, a peur ou s'ennuie. Même l'enfant est capable d'empathie, puisqu'il sait normalement quand son père ou sa mère sont de bonne ou de mauvaise humeur... À la base de l'empathie se trouve donc la perception qu'autrui est différent de soi et qu'il a sa propre sensibilité.

■ L'empathie comme attitude d'accueil

En particulier dans la relation d'aide, l'empathie est également une attitude, c'est-à-dire une façon pour l'aidant d'aborder l'aidé. Il s'agit d'une attitude d'accueil, de sensibilité et de respect à l'endroit du vécu de celui-ci. L'aidant empathique désire connaître l'aidé dans ce qu'il a d'unique, et il est prêt à consacrer les efforts nécessaires pour le suivre dans les replis de sa sensibilité et les subtilités de son vécu.

Pour éprouver et maintenir cette attitude d'accueil, il faut relever les défis suivants :

– Se garder de présumer que l'on comprend l'aidé et se mettre vraiment à son écoute, non seulement au début de l'entretien, mais tout au long de celui-ci ;

– Éviter de le bousculer et lui permettre de se faire connaître à son rythme, en acceptant par exemple qu'il ignore ce qu'il ressent ou qu'il ait du mal à se comprendre ou à se décider ;

– Lui permettre d'être différent de soi : qu'il ait peur de choses qui ne nous feraient (peut-être) pas peur à nous, qu'il se sente blessé par des choses qui ne nous blesseraient (peut-être) pas, qu'il se laisse bloquer par des choses qui ne nous dérangeraient (peut-être) pas, etc. ;

– Croire que toute chose a une cause, qu'il existe des raisons cachées expliquant pourquoi l'aidé pense, réagit et organise sa vie comme il le fait.

Cette attitude de respect pour la personne et le vécu de l'aidé se traduira éventuellement par un sentiment de proximité et de compassion à son endroit. Ce sentiment sera alimenté entre autres choses par la conscience du fait que l'aidé nous fait confiance et prend le risque de se révéler à nous dans sa vulnérabilité.

■ L'empathie comme ensemble d'habiletés

En plus d'être une manifestation de sensibilité spontanée et une attitude d'accueil donnant lieu à un sentiment de compassion, l'empathie se traduit également par un ensemble d'habiletés spécifiques, que l'on peut décrire ainsi :

– L'aptitude à déceler chez l'aidé des signaux plus ou moins faibles de différents états émotifs comme la peur, le regret, la colère, la culpabilité, la tristesse, etc. ;

– L'aptitude à utiliser nos propres réactions intérieures pour comprendre le vécu d'autrui. Ce que l'aidé vit et exprime, d'une façon verbale ou non verbale, vient se répercuter en nous, ne fût-ce que faiblement. Par exemple, si l'aidé a peur, nous pouvons éprouver un certain inconfort. S'il a mal, nous pouvons éprouver une légère tristesse, etc. Ce phénomène peut ainsi nous mettre sur la piste d'états affectifs que nous n'aurions pas décelés directement ;

– L'aptitude à dégager le sens du vécu de l'aidé en nous plaçant dans son cadre de référence à lui. Par exemple, une aidée réagit fortement à une grossesse qui va l'obliger à renoncer à la promotion dont elle rêvait depuis longtemps. Nous devons nous demander si la perspective de ce renoncement est pour elle une expérience nouvelle, ou si elle vient s'ajouter à une suite de situations où elle s'est retrouvée perdante ;

– L'aptitude, enfin, à trouver les mots appropriés pour communiquer à l'aidé, d'une façon claire et brève, ce qu'on a saisi de ce qu'il vit.

■ L'empathie comme processus

Les premières facettes de l'empathie présentées ci-dessus indiquent que celle-ci est un processus qui dure aussi longtemps que l'entretien lui-même. En effet, l'aidé se révèle continuellement, de sorte que si on s'imagine le comprendre complètement, c'est qu'on a cessé de l'écouter.

On désigne parfois ce processus comme la pratique de la *résonance empathique* (Vanaerschot, 1997, p. 144-145 ; Barrett-Lennard, 1997, p. 108-110). Comme on l'a vu dans les sections qui précèdent, il s'agit de laisser le vécu de l'aidé se répercuter en nous de manière que nous puissions saisir le sens et les nuances que ce vécu peut avoir dans son univers à lui.

Il s'ensuit que la résonance empathique est simplement l'autre nom de l'écoute empathique que nous devons maintenir tout au long de nos interactions avec l'aidé.

Les effets de l'approche empathique

Voici les principaux effets que l'on reconnaît à la compréhension empathique.

Sur la relation entre l'aidant et l'aidé

Le fait de se sentir respecté dans ce qu'il vit insufflera d'abord de la confiance à l'aidé et le motivera à continuer à se révéler.

Sur la relation de l'aidé avec lui-même

Le fait de se sentir écouté et compris lui permettra ensuite de se sentir moins seul dans sa situation, moins vulnérable. Il lui sera alors plus facile de continuer à s'ouvrir à ses émotions, à ses idées ou à ses réactions.

Sur l'estime de soi de l'aidé

Au fil de sa démarche, l'aidé en vient à porter sur lui-même le même regard de respect et d'acceptation que l'aidant porte sur lui. Se connaissant mieux et se comprenant mieux, il s'accepte davantage dans sa fragilité et ses difficultés, et il réalise qu'il n'a pas à se montrer parfait pour être valable à ses propres yeux.

Sur la résolution des problèmes

La situation de l'aidé ne s'en trouve pas changée pour autant. Cependant, le fait de mieux se connaître et de mieux s'accepter est de nature à entraîner chez lui de meilleures prises de décision et des réactions plus appropriées dans sa vie de tous les jours.

Sur les interventions de l'aidant

Enfin, étant donné que l'écoute empathique favorise une meilleure compréhension de l'aidé, il s'ensuit que l'aidant se trouve en bien meilleure posture pour choisir le type d'intervention à laquelle il va avoir recours et pour cibler et formuler cette intervention. Un aidant empathique devient ainsi un aidant pertinent et efficace.

Quelques nuances

Si la compréhension empathique joue un rôle vital dans la dynamique de l'entretien, elle n'est cependant pas une recette magique. Même un aidant expérimenté se trompe parfois, par exemple en croyant déceler un sentiment que l'aidé n'éprouve pas, ou en ne percevant pas un sentiment que l'aidé éprouve.

L'être humain est complexe, et chaque personne demeure un mystère. Sans en faire un tabou, il ne faut donc pas prononcer à la légère les mots «je vous comprends». On pourrait se faire répondre: «Comment pouvez-vous savoir ce que je ressens?»

De plus, même si le fait de s'exprimer et de se sentir compris peut faire progresser la démarche de l'aidé, cela n'est pas toujours le cas. L'aidé peut continuer à se sentir bloqué et demeurer longtemps aux prises avec son problème. Le changement personnel demeure un phénomène complexe sur lequel on a rarement une prise directe.

Un filon simple

Nous avons discerné les facettes et les effets de la compréhension empathique. Tout cela peut paraître compliqué de prime abord, mais le filon à suivre est simple. Il s'agit de se demander, à propos de l'aidé: «Que ressent-il en ce moment? Que veut-il me communiquer, avec les mots qu'il emploie et au-delà de ces mots ?»

Pour illustrer cette simplicité, reprenons les interventions suggérées plus haut pour remplacer celles de René.

Martin	— L'usine où je travaillais vient de fermer ses portes. Ça faisait quinze ans que je travaillais là.
L'aidant	*(Faisant preuve de compréhension empathique.)* — Ça doit vous faire tout un choc...
	Et plus loin dans l'entretien :
Martin	— [...] tout le monde s'est retrouvé au chômage.
L'aidant	*(Faisant preuve de compréhension empathique.)* — Donc, vous vous êtes retrouvé subitement devant rien...

Ces interventions n'ont rien de spectaculaire. Elles manifestent simplement un désir de rejoindre l'aidé dans son vécu, de lui permettre de s'exprimer et d'écouter ce qu'il vit. C'est par ses interventions que l'aidant exprime à la personne aidée qu'il l'écoute et la comprend. En retour, le fait de se sentir écoutée et comprise amène la personne aidée à se faire davantage réceptive aux interventions de l'aidant et davantage motivée à s'investir dans l'exploration de son problème. Dès lors, il n'est pas étonnant d'apprendre que, depuis plus d'un demi-siècle, les recherches ont démontré que l'empathie de l'aidant est le plus puissant prédicteur du progrès accompli par l'aidé et que cette empathie peut être communiquée par différents types d'intervention de la part de l'aidant (Watson, 2001, p. 451 *sqq.*; Elliott et autres, 2004, p. 117).

Nous terminerons notre exploration en écoutant un aidant chevronné décrire comment il se dispose concrètement à l'écoute empathique.

« Avant une entrevue, je commence par me calmer, pour faire taire mes bruits intérieurs. Je m'assois confortablement, je ferme les yeux et je prends quelques bonnes respirations, puis je me demande: *Comment est-ce que je me sens ?* Je sais que je suis prêt à accueillir mon client dans la salle d'attente lorsque la réponse est: dégagé, calme, ouvert, prêt... C'est ce qui se passe les trois quarts du temps. À d'autres moments, je me sens préoccupé par quelque chose et je tente de préciser de quoi il s'agit (cela peut être une contrariété vécue dans la journée). Une fois que j'ai reconnu mon problème, je lui dis que j'y reviendrai plus tard, et la plupart du temps, il accepte de me laisser tranquille le temps de mon entrevue. Ça ne fonctionne pas toujours à 100 %, mais même dans ce cas-là, je réussis habituellement à composer avec ce bruit de fond et à faire une bonne entrevue [...] en m'ouvrant à l'autre avec tout son vécu, dans toutes ses nuances et ses subtilités. » (Friedman, 2005, p. 223-224 ; Elliott et autres, 2004, p. 115.)

En bref	Pour être empathique, il faut parvenir à pressentir comment l'aidé perçoit et sent les choses, ce qui implique qu'on lui reconnaisse au préalable le droit d'être différent de soi. La compréhension empathique est un ensemble d'habiletés qui se développent. Les questions qui suivent serviront de points de repère à cet effet.

Des questions à se poser
pour développer sa compréhension empathique

1. Quels sentiments principaux ou quel sentiment principal l'aidé éprouve-t-il présentement ?

2. (Dans les cas où il n'est pas facile de répondre à la question précédente.) Comment est-ce que je me sens en écoutant l'aidé me parler de sa situation ?

3. Quel sens l'aidé attribue-t-il aux événements qu'il raconte ? Par exemple, les voit-il comme une injustice, une conséquence de ses propres erreurs, un hasard, une provocation, etc. ?

4. Quels mots pourrais-je utiliser pour lui communiquer ce que je perçois de son vécu ?

Exercice — Une démarche à deux axée sur les sentiments

Cet exercice vise à développer la compréhension empathique et donc l'aptitude à faire de bons reflets et de bonnes reformulations. Le premier partenaire (qui joue le rôle de l'aidé) complète chacun des cinq énoncés de la première étape, en ajoutant au besoin une ou deux phrases. Le second partenaire (qui joue le rôle de l'aidant) reflète le ou les sentiments en cause (« tu te sens... ») et le contenu verbal de l'énoncé (« parce que... »).

Si le partenaire qui joue le rôle de l'aidant a de la difficulté à saisir le sentiment en cause, ou encore si celui qui joue le rôle de l'aidé a de la difficulté à s'exprimer, l'aidant peut utiliser quelques focalisations.

On fait ensuite un bref retour : le premier partenaire dit s'il s'est senti compris comme aidé et commente brièvement les interventions de son aidant.

Quand on en a terminé avec les cinq énoncés de la première étape, on inverse les rôles pour les cinq énoncés suivants. S'il reste du temps, le deuxième partenaire peut à son tour compléter les cinq énoncés de la première étape, et vice-versa.

Première étape

1. « Quand j'apprends qu'une femme a été victime de violence conjugale... »

2. « Quand quelqu'un monopolise la conversation... »

3. « Quand je suis seul à la maison... »

4. « Quand je vois venir l'automne... »

5. « Le lundi matin... »

Deuxième étape (inversion des rôles)

1. « Quand un inconnu me tutoie... »

2. « Quand je sens que quelqu'un m'en veut... »

3. « Quand je dois exprimer mon opinion dans un groupe... »

4. « Quand on me demande de l'argent dans la rue... »

5. « Quand je fais un exercice comme celui-ci... »

Chapitre 3

Les étapes
de la relation d'aide

Les objectifs du présent chapitre :

- distinguer les trois étapes de la relation d'aide : l'expression, la compréhension et les scénarios de solution ;

- examiner ces étapes et les fondements du modèle proposé ;

- examiner la définition pratique de la relation d'aide qui en découle.

I l existe une grande variété de modèles de relation d'aide. Certains sont sophistiqués et reposent sur de multiples fondements théoriques (St-Arnaud, 1998 ; Morgan et MacMillan, 1999 ; Egan, 2002).

Pour ma part, j'ai opté pour un modèle simple, logique et applicable à une multitude de situations (Hill et O'Brien, 1999, p. 19-29). Examinons-le à l'aide du dialogue suivant, qui survient dans un contexte informel.

La tante	— Depuis que ton oncle a pris sa retraite, je l'ai toujours sur les talons à la maison. Moi qui pensais qu'on serait bien tous les deux...
La nièce	— Tu as l'air un peu déçue...
La tante	— Oui. Et en plus, lui me dit qu'il ne s'est jamais senti aussi bien. Quant à moi, je ne sors presque plus.
La nièce	— Tes visites à la bibliothèque et tes après-midi de tricot, tu as laissé tomber ça ? Tu as pris ta retraite toi aussi ?
La tante	(*Regard surpris et silence.*)
La nièce	— Comment te sentirais-tu de le laisser seul de temps en temps ?
La tante	— Je ne me sentirais pas correcte.
La nièce	— Dans quel sens ?
La tante	— Je me sentirais coupable...
La nièce	— As-tu essayé d'en discuter avec lui ?
La tante	— Il va falloir que je me décide. J'ai le droit de continuer d'avoir mes activités.

Dans ce bref entretien, la nièce offre à sa tante une écoute à la fois respectueuse et efficace, si bien que la confidence initiale donne lieu à une véritable relation d'aide. La figure suivante permet de visualiser les trois étapes de la démarche, que nous décrirons par la suite.

▪ Première étape : s'exprimer

La tante exprime d'abord sa frustration et sa déception. Les choses auraient pu en rester là si la nièce avait eu une réplique comme on en entend souvent dans la vie courante : « Ah ! Tu vas voir, le temps arrange bien des choses... »

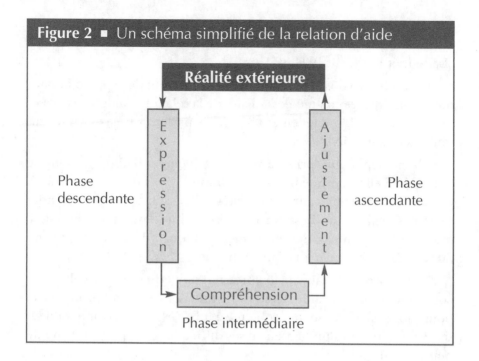

Figure 2 ■ Un schéma simplifié de la relation d'aide

Réalité extérieure

Expression

Ajustement

Phase descendante

Phase ascendante

Compréhension

Phase intermédiaire

Mais la nièce (qui suivait par bonheur un cours sur la relation d'aide) réussit à mettre en œuvre dès le départ la résonance empathique : « Tu as l'air un peu déçue... »

Cette intervention correspond au premier besoin de l'aidé, qui est de s'exprimer, de laisser *sortir la pression* (le mot *ex-pression* est révélateur à cet égard). Une fois exprimée et identifiée, l'émotion perd normalement de son intensité, et la personne se trouve davantage en mesure de faire face à son problème.

L'étape de l'expression est donc fondamentale. Des chercheurs ont découvert que des victimes de viol qui exprimaient d'abord leur sentiment de peur en racontant leur agression progressaient davantage dans la maîtrise de leur traumatisme que celles qui passaient tout de suite à la colère (Foa et autres, 1995). Ces données cliniques portent à croire que *chaque* émotion associée au problème doit être éprouvée de nouveau, identifiée, nommée et reconnue comme étant sienne.

■ Deuxième étape : comprendre et se comprendre

Pour la majorité des problèmes, toutefois, la démarche doit se poursuivre. Deux thérapeutes observent pertinemment : « Après l'expression, la situation n'est pas changée. Seules notre tension et notre humeur sont modifiées, ce qui est déjà pas mal! Exprimer est un point de départ. » (Lafleur et Béliveau, 1994, p. 15.)

On entend parfois la réflexion suivante, surtout de la part d'aidants qui se sont formés eux-mêmes : « Faire de la relation d'aide, c'est laisser parler les gens ; ils ont tellement besoin de parler... » Cela est vrai, mais seulement à moitié.

Si la personne aux prises avec un problème a d'abord besoin de s'exprimer, elle a ensuite besoin de comprendre et de se comprendre. Comme l'affirment les auteurs précités : « Il ne suffit pas de répéter des formules *positives* ou d'essayer de se convaincre par une manœuvre intellectuelle : il nous faut transformer notre regard si on veut apporter de véritables changements dans notre vie. » (*Ibid.*, p. 201.)

C'est pourquoi l'étape de l'expression doit être suivie de celle de la compréhension, où l'aidé va tenter de préciser ce qui fait problème et pourquoi cela lui cause un problème à lui. C'est à cette étape qu'il est susceptible de faire un lien entre ses difficultés et sa propre façon de penser ou d'agir.

Revenons à notre entretien.

La nièce	— Tes visites à la bibliothèque et tes après-midi de tricot, tu as laissé tomber ça ? Tu as pris ta retraite toi aussi ?
La tante	*(Regard surpris et silence.)*

La suite de l'entretien montre que c'est à cette étape du dialogue que la tante prend conscience que : pour éviter de se sentir coupable, elle s'est imposé de toujours tenir compagnie à son conjoint, mais qu'elle n'a pas à cesser de vivre parce que celui-ci a pris sa retraite. À cette étape, la tante aurait cependant eu intérêt à explorer davantage sa culpabilité et à comprendre plus clairement pourquoi celle-ci n'est pas justifiée dans les circonstances.

Dans la deuxième étape de la relation d'aide, il s'agit d'aider le sujet à porter un nouveau regard sur sa situation, à voir ce qui lui appartient dans son problème, et à comprendre pourquoi il réagit comme il le fait aux événements qu'il perçoit comme problématiques.

Cette prise de conscience l'amènera alors à réorganiser sa perception de lui-même, de ses proches et des objectifs qui lui tiennent à cœur. Mais il y a plus. Le fait d'agir sans comprendre ce qui se passe semble être contraire à notre nature et constituer une source d'anxiété.

En revanche, les personnes pour qui la vie est chargée de sens manifestent un meilleur bien-être psychologique, font preuve de plus d'espoir et composent mieux avec le stress (Mascaro et Rosen, 2006, p. 170-171).

L'étape de la compréhension apparaît donc vitale : l'aidé a besoin de comprendre ses réactions et celles de ses proches. Bref, il a besoin de comprendre son problème.

Toutefois, ce ne sont pas tous les problèmes qui peuvent se comprendre. Pensons à la mort d'un proche ou à un diagnostic de maladie grave : dans de tels cas, il n'y a souvent rien à comprendre. On doit seulement apprendre à assumer l'absence de sens, jusqu'au jour où l'on sera en mesure de mieux se situer par rapport à l'événement en cause. À ce propos, Crombez (1998, p. 102) remarque avec finesse que « donner sa chance au non-sens donne de la chance au sens ».

■ Troisième étape : explorer des scénarios de solution

Certains problèmes requièrent une solution concrète : l'aidé doit parler à quelqu'un, prendre une décision, accomplir une démarche... La troisième étape lui permet d'explorer différentes façons de régler son problème, de choisir le scénario qui lui semble le meilleur et de le raffiner au besoin, en tentant par exemple de prévoir les réactions des tiers et de voir comment il pourrait composer avec ces réactions.

S'il s'agit d'un problème qui ne requiert pas de solution à court terme, comme la mort d'un proche, l'aidé explore les moyens dont il dispose pour *apprendre à vivre* avec la réalité de l'événement ou de la situation en cause.

Dans l'entretien précité, cette troisième étape s'amorce lorsque la tante dit qu'elle va devoir se décider à parler à son mari. Cette étape devrait normalement être plus élaborée, tout comme la précédente.

Par exemple, la tante aurait pu explorer davantage ce qu'elle voulait dire au juste à son conjoint, les mots qu'elle prévoyait utiliser, le moment et la façon dont elle comptait s'y prendre pour lui parler, la réaction probable de son conjoint, etc.

■ Les parcours à deux étapes

Dans certains cas, l'entretien se limite aux deux premières étapes, sans qu'il y ait lieu de passer à l'exploration des solutions. À ce moment, la deuxième étape donne simplement lieu à une prise de conscience qui permettra aux choses de se placer d'elles-mêmes par la suite. Illustrons ce fait à l'aide d'un dialogue entre deux enseignantes, à l'arrivée à l'école le matin.

Martine	(*L'air contrarié.*) — Il faut que je te parle.
Lucie	— Oui, ça n'a pas l'air d'aller.
Martine	— Tu ne sais pas quoi ! Paul et moi, on se sépare, puis ma fille est déjà en train de l'aider à s'installer dans son nouveau logement. La maison est à l'envers. Elle aurait pu commencer par mettre de l'ordre à la maison...
Lucie	— Hum...
Martine	— Il a toujours été manipulateur. Il aime ça faire pitié, et il trouve toujours quelqu'un pour s'occuper de lui. Tu sais, la plupart du temps, ma fille ne lave même pas son linge. Mais là, Madame est en train de montrer à son père comment faire son lavage. C'est frustrant des fois, les enfants.
Lucie	(*Garde le silence, pendant que Martine se calme un peu.*) — C'est difficile de se retrouver toute seule pour tout ramasser...
Martine	(*Au bord des larmes.*) — Oui, elle aurait pu m'aider avant d'aller aider son père. Moi aussi, j'en ai besoin.
Lucie	(*Laisse pleurer Martine et lui met la main sur l'épaule.*) — Tu sais, tu as le droit d'avoir de la peine. Ce n'est pas facile, ce que tu traverses en ce moment.
Martine	(*Essuie ses larmes, sourit un peu.*)
Lucie	— Penses-tu que si tu avais été à la place de ta fille, toi aussi tu aurais donné un coup de main à ton père ?
Martine	(*Après un moment de réflexion.*) — Oui, sûrement.
Lucie	— Ta fille, je sais qu'elle t'aime beaucoup. Et je trouve qu'elle te ressemble...
	(*Les deux enseignantes se quittent, et un peu plus tard, Martine revient.*)
Martine	— Penses-tu que ça se pourrait que ma fille ait décidé de partir de la maison seulement cet automne pour éviter que je me retrouve toute seule au moment du départ de Paul ?
Lucie	(*En souriant.*) — Il y a des bonnes chances...

Cet entretien a été bien mené. Grâce à l'écoute attentive et aux interventions pertinentes de Lucie, sa compagne de travail a pris conscience de deux points importants : d'abord, elle a réalisé que sa fille ne prend pas parti pour son père parce qu'elle l'aide à s'installer. Ensuite, elle s'est rendu compte qu'elle lui apporte du soutien à elle aussi.

Ces prises de conscience aideront Martine à se sentir moins seule et davantage soutenue dans cette transition difficile. Elle sera moins agressive envers sa fille et se sentira plus proche d'elle. Il se pourrait même qu'elle se sente moins agressive envers son ex-conjoint, à qui elle sera moins portée à reprocher de lui voler l'attention de sa fille.

Bref, on peut présumer que cet entretien, où il n'y avait pas lieu d'explorer des scénarios de solution, va aider Martine à mobiliser ses ressources pour mieux vivre sa séparation.

■ Les fondements du modèle

En 1992, l'Association américaine de psychologie reproduisait un texte de Carl Rogers publié en 1940, dans lequel le célèbre psychologue distinguait six étapes dans le processus thérapeutique :

1. L'établissement du contact entre l'aidant et l'aidé ;

2. L'expression des sentiments de la part de l'aidé ;

3. L'acceptation par l'aidé de sa réalité ;

4. Les prises de conscience de l'aidé quant à son comportement ;

5. La prise de décision de la part de l'aidé ;

6. La consolidation de son autonomie, avec le soutien de l'aidant.

On peut voir l'établissement du contact entre l'aidant et l'aidé plutôt comme une condition nécessaire à l'instauration de la démarche de relation d'aide, tandis que la consolidation de l'autonomie de l'aidé sera plutôt un effet de la relation d'aide qu'une étape du processus comme tel.

Les quatre étapes centrales recoupent pratiquement celles du modèle que nous proposons, soit, pour l'aidé :

– l'expression de ses sentiments ;

– des prises de conscience quant à son comportement ;

– une prise de décision menant à une solution.

Une définition de la relation d'aide

Pratiquer la relation d'aide, c'est faciliter un processus exploratoire. Cette démarche peut être spontanée, informelle et brève, mais trois conditions doivent être réunies pour que l'on puisse vraiment parler de relation d'aide.

D'abord, l'aidé doit être conscient du fait qu'il a un problème. Ensuite, il faut qu'il consente, au moins implicitement, à en parler. Enfin, la personne qui joue le rôle de l'aidant doit se centrer sur l'aidé. La relation d'aide n'est pas un entretien entre amis où l'on s'exprime de part et d'autre sur ses préoccupations respectives.

Bref, cette démarche implique que l'on s'entende au moins d'une façon tacite pour qu'une personne explore son vécu, fût-ce brièvement, et pour que l'autre personne l'accompagne dans cette exploration. Nous verrons au chapitre 10 ce phénomène important que l'on appelle « l'alliance thérapeutique ».

Le modèle proposé ici permet de formuler une définition plus précise. Pratiquer la relation d'aide, c'est aider une personne à exprimer comment elle se sent, à comprendre pourquoi elle se sent ainsi et à explorer ce que cette compréhension de la situation implique pour elle à court et à moyen terme.

En langage familier, on pourrait décrire comme suit le questionnement de l'aidé à chacune des trois étapes du processus exploratoire :

1. L'étape de l'expression : « Qu'est-ce que je vis présentement ? »
2. L'étape de la compréhension : « Qu'est-ce que cela me dit sur moi ? »
3. L'étape de l'exploration des scénarios de solution : « Qu'est-ce que je fais avec cela ? »

Un guide pour l'intervention

Le modèle des trois étapes permet de cerner le besoin dominant de l'aidé : celui-ci a-t-il surtout besoin de s'exprimer ? A-t-il surtout besoin de se comprendre ? A-t-il surtout besoin d'explorer des scénarios de solution ?

Une fois situé, l'aidant peut s'orienter vers les types d'intervention les plus susceptibles de stimuler le sujet dans l'exploration de son problème.

▪ Le cycle complet et les avancées stratégiques

L'aidé peut commencer un entretien en se situant à n'importe quelle étape. La logique voudrait qu'il commence par explorer ses sentiments et qu'il termine par l'exploration des scénarios de solution. Mais ce n'est pas nécessairement la première fois qu'il pense à son problème ou qu'il en parle.

Et s'il n'est pas nécessaire que l'aidé parte de la première étape, il n'est pas nécessaire non plus qu'il se rende jusqu'au terme de la troisième étape. Une fois l'entretien terminé, il continuera à vivre, à réfléchir, à parler de son problème avec d'autres personnes...

Un processus exploratoire complet (incluant les trois étapes) peut se dérouler à l'intérieur d'un seul entretien, ou s'étendre sur plusieurs rencontres, voire sur plusieurs années. Cela dépend évidemment de facteurs comme l'ampleur du problème en cause, les ressources de l'aidé, les habiletés de l'aidant, les circonstances extérieures, etc.

Il peut sembler plus intéressant d'accompagner l'aidé dans le parcours complet des trois étapes, mais à la réflexion, il est aussi gratifiant d'aider quelqu'un à progresser vraiment, quels que soient le rythme du processus et le chemin parcouru. Ce qui doit importer pour l'aidant, c'est la qualité de son écoute et la pertinence de ses interventions.

> **En bref**
>
> L'aidé peut surtout avoir besoin soit d'exprimer comment il se sent, soit de réfléchir sur la nature, les causes et les conséquences de son problème ou encore d'explorer des scénarios de solution. Ces besoins s'enchaînent normalement pour constituer les trois étapes de la relation d'aide.

Des questions à se poser pour orienter ses interventions

1. L'aidé a-t-il surtout besoin de s'exprimer sur son problème, de laisser *sortir la vapeur,* de dire ce qui ne va pas ?

2. A-t-il surtout besoin de mieux se comprendre, de prendre conscience de son problème, de le resituer et de le reformuler ?

3. A-t-il surtout besoin d'explorer des scénarios de solution qui lui permettront de mieux se situer dans son quotidien ?

4. Aurait-il besoin de revenir en arrière, soit pour mieux s'ouvrir à certaines émotions sous-jacentes, soit pour mieux comprendre la nature et la cause de son problème?

5. A-t-il besoin au contraire d'aller de l'avant, de passer à l'étape suivante dans le processus exploratoire?

Exercice La formulation d'interventions

Contrairement à ceux que l'on trouvera à la fin des prochains chapitres, l'exercice qui suit n'a pas de lien direct avec le contenu du présent chapitre. Il a simplement pour but de permettre au lecteur de se familiariser avec les différents outils de la relation d'aide inventoriés au premier chapitre. Dans chaque cas présenté ci-dessous, on énonce les premières paroles prononcées par la personne qui cherche de l'aide. À partir de l'une ou l'autre des situations, il s'agit de formuler des interventions correspondant à chacun des neuf types d'intervention énumérés ci-dessous, dont voici les définitions sommaires :

1. Reflet ou reformulation : Traduction dans ses propres mots du sentiment de l'aidé (reflet) ou de ses propos (reformulation).

2. Focalisation : Intervention invitant l'aidé à explorer avec plus de précision un aspect de son vécu ou de son problème.

3. Confrontation : Intervention par laquelle on amène l'aidé à remettre en question ses façons de voir ou ses façons de faire.

4. Question fermée : Question à laquelle on doit répondre par un oui ou un non, ou par une brève information objective.

5. Interprétation : Intervention par laquelle on essaie de faire comprendre à l'aidé la nature ou l'origine de son problème.

6. Recherche de solutions : Intervention par laquelle on attire l'attention de l'aidé sur des façons de résoudre son problème.

7. Soutien : Intervention visant à rassurer l'aidé ou à le confirmer dans ses ressources.

8. Implication : Intervention par laquelle on fait référence à son propre vécu pour stimuler l'aidé dans son exploration ou lui apporter du soutien.

9. Contrôle : Intervention visant à orienter ou à tenter d'orienter directement un comportement de l'aidé.

Voici maintenant les cas à partir desquels l'exercice doit être effectué.

Premier cas : « Ma fille ne pourra pas faire sa première communion si ses deux parents ne vont pas au moins à deux réunions, mais mon mari ne veut rien savoir de la religion. »

Deuxième cas : « Depuis que mon père est mort, ma mère vit seule et je trouve qu'elle fait pitié. J'aurais bien envie de l'accueillir chez nous, mais je ne sais pas comment mon mari prendrait ça à la longue. »

Troisième cas : « J'ai un bon mari et je n'ai rien à lui reprocher. Mais depuis quelque temps, j'ai l'impression qu'il fait de l'œil à la voisine. »

Quatrième cas : « Les satanés fonctionnaires du chômage m'ont enlevé mes chèques parce que mes cartes étaient en retard ; j'ai été dans le Sud et mon idiot de beau-frère était censé les remplir et les signer à ma place. »

Il n'est pas nécessaire que les neuf interventions soient imaginées à partir du même cas. En guise d'illustration, voici comment une aidante en formation a formulé quelques-unes de ses interventions :

– Reflet (à partir du deuxième cas) :
  « Vous avez peur que votre mari ne s'entende pas bien avec votre mère ? »

– Focalisation (à partir du premier cas) :
  « Qu'est-ce qui vous contrarie le plus : qu'on insiste sur la participation des deux parents, ou que votre mari soit fermé à la religion ? »

– Confrontation (à partir du quatrième cas) :
  « Il me semble qu'une condition pour recevoir l'assurance-emploi, c'est d'être disponible pour travailler... »

– Question fermée (à partir du troisième cas) :
  « Quel âge a votre voisine ? »

– Interprétation (à partir du deuxième cas) :
  « Vous sentez-vous responsable de votre mère depuis que votre père est mort ? »

– Recherche de solutions (à partir du troisième cas) :
  « Avez-vous pensé à exprimer votre inquiétude à votre mari ? »

– Soutien (à partir du premier cas) :
  « Ce n'est pas facile d'être croyante et d'avoir un mari qui ne l'est pas. »

Lorsque l'exercice se fait en groupe, on formule ses interventions individuellement, après quoi chaque participant en lit une à haute voix et les autres participants essaient de déterminer de quel type d'intervention il s'agit.

Chapitre 4

La formulation
du problème

Les objectifs du présent chapitre :

- évaluer l'importance pour l'aidant de formuler clairement
  le problème principal de l'aidé, de manière à pouvoir lui
  en faciliter l'exploration ;

- examiner cinq habiletés spécifiques qui permettent de parvenir
  à une bonne formulation du problème.

Nous avons vu dans le deuxième chapitre que la première tâche de l'aidant est de mettre en œuvre l'écoute empathique, c'est-à-dire de se situer dans le cadre de référence de l'aidé pour saisir comment il vit son problème.

Pour comprendre ce que l'aidé éprouve ici et maintenant, il faut toutefois prendre un recul critique et situer ce vécu dans un cadre plus large. On doit notamment se faire attentif à la façon dont l'aidé perçoit ce qui lui pose problème, non seulement dans sa vie actuelle, mais aussi dans son passé récent et son proche avenir. Un cas vécu nous aidera à illustrer cet aspect.

L'aidée	— Je te dis que la vie n'est pas facile. Hier, c'était l'anniversaire de mon fils. Je l'ai aperçu devant la maison, tout sale, tout maigre, les jeans déchirés. J'ai appelé le 911 juste avant qu'il entre.
L'aidante	(*Silence, regard attentif.*)
L'aidée	— Il s'est sauvé du centre d'accueil, il traîne dans les rues, il n'a pas d'endroit où coucher, il mange mal et il est malade. On a beau dire, même s'il me cause beaucoup de problèmes, c'est mon fils et ça m'affecte beaucoup. (*Silence.*) C'était le jour de son anniversaire en plus. Il a eu toute une réaction quand les policiers sont arrivés ! Je me demande si j'ai bien fait de les appeler... (*Silence.*) Il va peut-être toucher le fond. À dix-huit ans, c'est la société qui va le prendre en charge. D'ici là, je vais tout faire pour lui. (*Silence.*) Il me semble que j'ai fait tout ce que j'ai pu... Et son père n'a pas beaucoup de contacts avec lui... (*Silence.*) Je pense que je vais lui écrire.

Invitée à formuler le problème de cette aidée dans un rapport d'entrevue, une aidante en formation a proposé ce qui suit: «Je me demande si j'ai bien fait d'appeler les policiers.»

Cette formulation rejoint une question que l'aidée se pose effectivement, mais le problème de la mère déborde largement ce questionnement. Une bonne formulation doit donc être plus englobante, par exemple: «J'ai à clarifier mon implication et mes limites dans ma relation problématique avec mon fils.»

Cette nouvelle formulation reprend entre autres choses le questionnement exprimé vers la fin de l'entretien, où l'aidée dit qu'elle pense avoir tout fait pour son fils, pour ajouter peu de temps après qu'elle songe à en faire plus.

Cela illustre l'importance de bien formuler le problème. Avec la première formulation, en effet, l'aidante risque de se centrer indûment sur l'épisode de l'appel aux policiers, tandis que le véritable questionnement de l'aidée se situe nettement ailleurs.

■ La formulation du problème comme processus

La formulation du problème est un processus par lequel l'aidant organise et interprète les informations verbales et non verbales émises par l'aidé, pour en arriver à saisir l'essentiel du vécu de ce dernier. Formuler le problème, c'est donc résumer en quelques mots ce qui préoccupe le plus l'aidé.

Par exemple, dans le cas ci-dessus, l'aidée essaie de se situer plus claire-ment dans son rôle de mère face à un fils qui a des problèmes et qui lui en cause à elle aussi.

La formulation du problème requiert donc une analyse qui permet d'en arriver au cœur du vécu de l'aidé (Bohart, Greenberg et autres, 1997, p. 421 ; Morgan et Mac Millan, 1999, p. 155). Pour ce faire, l'aidant n'a pas à s'engager dans de longues considérations, et il n'a pas non plus à questionner systématiquement l'aidé. Il lui suffit d'habi-tude de l'écouter, en se posant la question suivante : « Qu'est-ce que l'aidé me dit sur lui-même et sur son problème quand il s'exprime comme il le fait ? »

Formuler le problème, c'est donc simplement mettre de l'ordre dans ce qu'on voit et ce qu'on entend. Et puisque l'aidé est toujours susceptible de révéler de nouveaux éléments, la formulation de son problème peut évoluer au fil de la démarche. Il faut donc demeurer aux aguets de manière à pouvoir reformuler le problème, s'il y a lieu. Avec le temps, cela se fait d'une façon naturelle, l'aidant alternant entre la résonance empathique (centration sur le vécu d'autrui) et le recul critique face à ce qui est communiqué (formu-lation du problème).

■ La formulation du problème comme guide

En supervisant des aidants en formation, j'ai souvent été à même de constater que la pertinence et l'efficacité de leurs interventions étaient directement proportionnelles au degré de précision de leur formulation du problème.

Les aidants qui cernent bien la situation ont nécessairement une meilleure idée de ce qui devrait se passer pour que l'aidé progresse dans son exploration. Ils sont ainsi capables d'attirer son attention à bon escient sur certaines idées et certaines émotions, de lui poser de bonnes questions, de lui offrir des commentaires stimulants, etc.

À l'inverse, les aidants qui n'ont qu'une vague idée du problème de l'aidé interviennent un peu au hasard et ont ainsi peu d'influence sur le processus exploratoire en cours.

D'ailleurs, les aidants qui saisissent bien la dynamique de l'aidé ont plus de chances d'être ouverts à son endroit, tandis que ceux qui n'ont pas bien formulé mentalement le problème sont davantage portés à le blâmer. S'il en est ainsi, c'est que ces derniers ne voient que les symptômes, tandis que les premiers sont en mesure de relier ces symptômes à la souffrance ou à la difficulté qui en est la source.

Une bonne formulation du problème est ainsi pourvue d'une valeur immunitaire et est garante d'empathie. Tant que l'on n'a pas une bonne idée du vécu et des besoins de l'aidé, on est exposé à subir son anxiété, son hostilité, son impuissance, sa dépression, etc.

À l'inverse, lorsqu'on comprend avec quelles difficultés l'aidé est aux prises et quel est son problème, on devient plus apte à la fois à le respecter dans sa souffrance et à l'aider à s'en dégager.

■ La formulation du problème comme habileté

La formulation du problème met en œuvre différentes opérations mentales : déduction à partir de ce que l'aidé exprime, interprétation de sa situation à l'aide de connaissances en psychologie, rapprochement avec le vécu similaire d'autres aidés et parfois aussi intuition (Linehan, 1997, p. 361 et 365). Par exemple, l'aidant pourra se dire : « J'ai l'impression que son problème est... »

La capacité d'en arriver à bien formuler le problème augmente donc au fur et à mesure que l'aidant acquiert des connaissances et accumule de l'expérience. Pour faciliter le développement de cette capacité, nous distinguons cinq habiletés.

■ Première habileté : organiser l'information disponible

Pour établir son diagnostic, le médecin va lui-même chercher l'information dont il a besoin, soit en posant plusieurs questions précises, soit en ayant recours à des tests spécifiques. À la différence du médecin, l'aidant se contente de tirer parti de l'information que l'aidé lui communique spontanément par ce qu'il exprime et par sa façon de se comporter.

Cette distinction est importante, car elle indique que l'aidant demeure centré sur l'univers subjectif de l'aidé plutôt que sur le problème objectif que celui-ci expose.

Au lieu de questionner le sujet, l'aidant tente de répondre lui-même aux questions suivantes :

« Qu'est-ce que cette personne me dit sur elle-même et sur son problème lorsqu'elle s'exprime comme elle le fait ? Quels sont les sentiments dominants qui l'habitent en ce moment ? D'où viennent ces sentiments ? Comment est-ce que je me sens en écoutant cette personne ? » Bref, il s'agit de prendre un recul pour avoir une vue d'ensemble des difficultés auxquelles l'aidé fait face (Friedman, 2005, p. 41).

■ Deuxième habileté : utiliser ses connaissances

Une deuxième habileté consiste à tirer parti de ses connaissances et de son expérience pour éclairer le problème en cause. Par exemple, une aidée dont la mère est morte il y a longtemps raconte comment elle a fortement réagi à la mort récente d'une voisine. Or, l'aidant a déjà lu des textes sur les deuils non terminés ou a déjà accompagné un homme qui avait manifesté des réactions semblables. Il émet alors l'hypothèse que la mort de la voisine vient réactiver le deuil non terminé de la mère.

Dans cette optique, une bonne question à se poser est la suivante : « À qui la personne que j'ai devant moi ressemble-t-elle ? » Ou encore : « À quoi cette façon de se comporter me fait-elle penser ? »

On voit ainsi que, en plus de faire preuve de respect et de délicatesse, l'aidant doit avoir une bonne compréhension de l'être humain. Un aidant qui veut progresser se préoccupe donc d'étendre ses connaissances en psychologie. Des thérapeutes font d'ailleurs observer que paradoxalement, plus notre expérience et nos connaissances sont étendues, plus nous sommes en mesure d'être sensibles à ce que le vécu de l'aidé peut présenter d'unique (Elliott et autres, 2004, p. 116).

■ Troisième habileté : dégager le problème réel

Une troisième habileté réside dans la capacité de distinguer le problème réel à travers la version initiale que l'aidé en présente. Pour contrôler son anxiété et protéger son image, souvent à ses propres yeux, l'aidé est en effet porté à limiter l'ampleur de son problème, ou encore à en attribuer la responsabilité à d'autres ou aux circonstances de la vie.

Imaginons un exemple un peu tiré par les cheveux.

Version initiale de l'aidé : « Mon problème, c'est que l'autobus passe toujours avant que j'arrive à l'arrêt. »

Formulation du problème par l'aidant : « Son problème, c'est qu'il s'organise mal le matin, ou encore qu'il n'est pas très attiré par son emploi actuel. »

C'est pourquoi il faut souvent prendre un certain recul par rapport aux verbalisations de l'aidé pour aller au cœur ou à la source de son problème et comprendre où cela bloque et pourquoi cela bloque.

■ Quatrième habileté : donner du pouvoir à l'aidé

Une quatrième habileté consiste à trouver une formulation qui donne à l'aidé de l'emprise sur son problème. Prenons l'exemple d'un aidé qui se plaint de ses insuccès auprès des femmes, qu'il trouve « plus compliquées qu'avant ».

On pourrait recourir à la formulation suivante : « Son problème, c'est que le féminisme a rendu les femmes plus exigeantes. » Mais une telle formulation n'aurait pour effet que d'ancrer davantage l'aidé dans son sentiment d'impuissance.

Comparons avec cette deuxième formulation : « Son problème, c'est son approche macho qui éloigne les femmes. » Cette formulation présente l'avantage de moins camper l'aidé dans un rôle de victime et de lui reconnaître plus de pouvoir sur son existence. Car s'il ne peut pas changer « les femmes d'aujourd'hui », il peut par contre entreprendre de modifier son approche à l'endroit des femmes qu'il rencontre.

La formulation du problème peut donc faire une différence dans la façon dont l'aidant abordera la situation avec l'aidé. Selon la façon dont le problème est formulé, l'aidé comprendra qu'il dispose de plus ou moins de pouvoir pour le solutionner.

Voici un autre exemple : « Son problème, c'est que son mari est parti refaire sa vie avec une autre femme » (position de victime), versus : « Son problème, c'est qu'elle a à faire le deuil de son couple et à réorganiser sa vie » (formulation qui met l'aidée en situation de se mobiliser).

Bref, une bonne formulation oriente l'aidé vers une solution. Dès lors, le problème n'apparaît plus comme un mur ou comme une voie sans issue, mais comme une tâche à assumer ou un défi à relever. Cela rejoint le concept de réappropriation du pouvoir (*empowerment*) qui désigne la démarche par laquelle l'aidant amène l'aidé à « reprendre confiance en sa capacité de faire quelque chose pour résoudre son problème » (Lamarre, 2005, p. 62-63 ; Egan, 2002, p. 56).

■ Cinquième habileté : être à la fois précis et concis

Une bonne formulation tient en une phrase relativement courte. Il ne s'agit pas de décrire la vie de l'aidé ni de résumer ce qu'il vient de partager. Par exemple, une jeune fille raconte en détail comment elle est tombée enceinte et comment elle se sent coincée entre les réactions opposées de ses parents et de son copain face à cette grossesse. Pendant qu'elle s'exprime, on la sent anxieuse, confuse, envahie par la culpabilité et dépassée par les événements.

Voici une formulation possible : « Son problème, c'est de décider si elle interrompt sa grossesse ou si elle la mène à terme. » Ou encore : « Son problème, c'est de faire temporairement abstraction des pressions de ses proches pour discerner ce qu'elle désire vraiment face à sa grossesse. » Guidé par une formulation précise et concise, l'aidant sera alors en bonne posture pour aider son interlocutrice à se centrer sur le cœur de son vécu. Cela, bien sûr, sans négliger les sentiments intenses que celle-ci peut éprouver.

■ Une synthèse des cinq habiletés

La synthèse suivante décrit la démarche de la formulation du problème à partir des cinq habiletés que nous venons d'examiner.

En utilisant ce qu'on voit et ce qu'on entend (première habileté) et en s'aidant de ses connaissances et de son expérience (deuxième habileté) on cerne le cœur du problème (troisième habileté), que l'on formule en veillant à donner à l'aidé de l'emprise sur ce problème (quatrième habileté), tout en se représentant mentalement le tout d'une façon brève et précise (cinquième habileté).

Voici quelques formulations du problème de la jeune fille enceinte, qui seraient déficientes par rapport à l'une ou à l'autre des habiletés décrites :

- « Son problème, c'est qu'elle ne communique pas bien avec son copain. »

- « Son problème, c'est que ses parents ne tiennent pas compte de ses idées. »
- « Son problème, c'est qu'elle panique plutôt que de garder la tête froide. »

Ces formulations contiennent toutes une part de vérité, mais elles ne vont pas au cœur du problème (troisième habileté). Cela porte à croire que l'aidant n'a pas bien tiré parti de ce qu'il a vu et entendu (première habileté). De plus, ces formulations ne donnent pas de pouvoir à l'aidée sur sa situation (quatrième habileté).

En revanche, ces formulations ont le mérite d'être brèves et précises, ce qui va dans le sens de la cinquième habileté.

▪ L'évaluation psychosociale

Les travailleurs sociaux utilisent couramment les outils de la relation d'aide, mais avant d'intervenir, ils établissent d'abord une *évaluation psychosociale* de l'aidé, qui se rapproche à première vue de la *formulation du problème*. Dans les deux cas, en effet, l'aidant utilise ses impressions cliniques pour comprendre à qui il a affaire et pour s'orienter en conséquence dans ses interventions.

Mais l'évaluation psychosociale est une démarche plus structurée qui amène l'aidant à se poser des questions comme :

- « Qui a fait la demande (sujet lui-même, conjoint, parent, employeur…) ? »
- « Quelle est la situation concrète de l'aidé (travail, chômage, études…) ? »
- « Quelles sont sa dynamique familiale et son histoire personnelle, etc. ? »

Ces renseignements permettront au travailleur social de bâtir avec son client un plan d'intervention afin d'apporter des solutions concrètes aux problèmes relevés.

Plusieurs psychologues font une évaluation semblable, en y ajoutant un volet spécifique : l'aidé a-t-il déjà consulté en psychothérapie ou en psychiatrie, prend-il des antidépresseurs, a-t-il déjà songé au suicide, etc. ? Par contre, d'autres psychologues ne recourent ni à une évaluation psychosociale ni à un plan d'intervention systématique, et ne se concentrent que sur le matériel fourni spontanément par l'aidé et sur ce qui se passe *ici et maintenant* durant l'entrevue. Dans la ligne de la compréhension empathique, le psychologue travaille surtout sur les *perceptions* de l'aidé : comment celui-ci perçoit-il son problème et ses causes ? Comment perçoit-il ses proches et se perçoit-il lui-même ? Comment perçoit-il l'issue de son problème ou de sa crise et quelles résistances doit-il surmonter pour y parvenir ?

Bref, la formulation du problème se fait silencieusement à partir des données fournies spontanément par l'aidé, tandis que l'évaluation psychosociale nécessite plusieurs questions fermées et ouvertes pour situer au préalable l'aidé, à la fois dans son contexte familial et dans son parcours de vie.

Tous les intervenants peuvent ainsi s'approprier le modèle de base ainsi que les outils présentés dans ce volume. Chacun s'orientera ensuite selon les paramètres de sa profession et de sa fonction, que ce soit le travail social, la psychologie clinique, le nursing, la psychoéducation, le travail communautaire, la criminologie, la thérapie conjugale et familiale, l'enseignement, etc.

En bref

Une bonne formulation du problème est le signe qu'au-delà des émotions et des idées parfois confuses et contradictoires de l'aidé, on a réussi à saisir et à nommer clairement et succinctement ce qui se passe dans son univers.

De plus, en formulant le problème comme un défi à relever ou une tâche à accomplir, on est en mesure de se dire au moins mentalement que l'on peut travailler sur ce problème. On est alors sensible à la lourdeur de la situation et à l'anxiété qu'elle peut générer chez l'aidé, et donc plus en mesure d'intervenir de façon à lui donner l'espoir qu'il y a quelque chose à faire pour s'en sortir.

Des questions à se poser avant de formuler le problème

1. À travers tout ce qu'il exprime, qu'est-ce que l'aidé me dit en substance ?
2. Comment puis-je formuler brièvement le cœur de son problème ?
3. Cette formulation lui donne-t-elle du pouvoir ?
4. Cette formulation est-elle suffisamment brève et précise pour me guider dans mes interventions ?

Exercice

Le lecteur intéressé à acquérir les différentes habiletés liées à la formulation du problème peut se reporter aux cas présentés au premier chapitre. Il s'agit simplement de relire la présentation de chacun des huit cas (en faisant abstraction des interventions de l'aidant) et, pour chaque cas, de compléter la phrase suivante sur une feuille à part, en se mettant à la place de l'aidé : « Mon problème est... »

Lorsque cette activité individuelle se fait en groupe, on peut ensuite revenir ensemble sur chaque cas et comparer les différentes formulations individuelles à la lumière des caractéristiques d'une bonne formulation du problème présentées plus haut.

Cela fait, on pourra se reporter aux pages 181 à 183, qui présente deux formulations possibles pour chacun des huit cas, avec un bref commentaire. (Si le corrigé présente deux formulations par cas, c'est que l'aidant hésite souvent au début de l'entretien entre deux versions possibles (ou plus) du problème de l'aidé.)

Chapitre 5

Le silence

Les objectifs du présent chapitre :

- évaluer l'importance pour l'aidant de limiter ses interventions verbales et d'observer de nombreux silences au cours de l'entretien ;

- constater les effets d'un silence délibéré sur l'aidé (sentiment d'accueil, facilitation de l'exploration et de la prise en charge de son problème) ;

- apprendre à exploiter les moments de silence pour procéder mentalement à la formulation du problème de l'aidé et préparer ses interventions.

L e silence dont il est question ici consiste pour l'aidant à s'abstenir d'intervenir verbalement. L'aidé vient d'exprimer un sentiment, une idée ou un projet, et l'aidant décide de ne pas réagir avec des mots, de sorte qu'un silence s'ensuit.

Il existe une autre forme de silence, pratiqué celui-là par l'aidé et que l'on appelle une résistance. Si le silence de l'aidant permet à l'aidé de continuer à progresser à son rythme, le silence de résistance indique que l'aidé se tait pour ne pas s'ouvrir à l'émotion ou à l'idée qui lui fait peur. Nous examinerons cette autre forme de silence dans le chapitre 15.

Le silence de l'aidant constitue un outil majeur de la relation d'aide, et on doit le considérer comme une façon signifiante d'inter-agir avec l'aidé plutôt que comme un temps mort ou une absence d'interaction (Sharpley et autres, 2005, p. 158). Une autre spécialiste estime qu'un silence qui survient au bon moment peut représenter la façon «la plus puissante et la plus utile» d'accompagner l'aidé (Ivey, 1994, p. 33).

En réfléchissant à ses cinquante années de pratique, un vétéran de la relation d'aide confie à ce propos: «Mon approche est d'écouter atten-tivement et de répondre à l'occasion. Ce n'est que lorsque cette approche ne fonctionne pas que je deviens plus actif.» (Haas, 1997, p. 598.)

■ La règle du cinq pour un et ses exceptions

Dans un entretien typique, les silences devraient normalement être plus fréquents que les focalisations et les reflets réunis. La séquence suivante peut servir de point de repère:

1. L'aidé formule quatre ou cinq phrases ou petits ensembles de phrases que l'aidant accueille par un silence;
2. L'aidant fait une intervention verbale (reflet, focalisation ou autre);
3. L'aidé enchaîne avec une autre séquence de quatre ou cinq phrases ou petits ensembles de phrases;
4. L'aidant fait une autre intervention verbale.

En voici une illustration. Un aidé se plaint des absences répétées de son frère, qui travaille avec lui dans l'entreprise familiale. Ces absences le tracassent beaucoup parce que c'est plutôt son frère qui possède l'expertise.

L'aidé	(*Après quelques préambules.*) — J'ai un problème. Je ne sais plus quoi faire. (*Silence.*) Je travaille avec mon frère, mais ça va très mal. Je ne veux plus travailler avec lui parce que… (*Silence.*) En tout cas, ça ne peut pas continuer comme ça.
	(Ces deux silences peuvent être interprétés comme des résistances : l'aidé hésite à parler de ce qui ne va pas.)
L'aidant	(*Silence. L'aidant note que l'aidé « semble en avoir gros sur le cœur ».*)
L'aidé	— Je ne sais pas ce qui s'est passé. Mon frère a commencé ça tout d'un coup.
L'aidant	— En as-tu parlé avec lui ?
L'aidé	— J'ai essayé, mais il a toujours une réponse comme : « Tu es capable tout seul, je dois aller faire des appels, etc. » Il ne veut rien savoir.
L'aidant	(*Silence. L'aidant note que l'aidé « est en train de se vider le cœur ».*)
L'aidé	— Je ne le comprends pas du tout. Puis, si j'en parle aux autres membres de la famille, ça va faire toute une histoire.
L'aidant	(*Silence. L'aidant note : « Il me regarde intensément et veut encore parler. »*)
L'aidé	— Ça va inquiéter mon père. (*Il évoque l'âge et la maladie de son père.*)
L'aidant	(*Silence.*)
L'aidé	— Je pense vraiment que mon frère veut tout lâcher et qu'il continue pour moi parce que lui aussi, il a de gros problèmes de santé. Ça fait plusieurs fois qu'il m'en parle.
	Après quelques échanges entre l'aidant et l'aidé :
L'aidant	— Qu'est-ce que tu as l'intention de faire ?
L'aidé	— Je pense que je vais en parler franchement avec mon frère. Le fait de te raconter tout ça m'a aidé à mieux comprendre la situation.

Même encore en formation, l'aidant (un enseignant) possédait ici une certaine expérience de la relation d'aide. Cette expérience lui procurait la sécurité nécessaire pour ne pas se sentir obligé de combler tous les silences par une intervention verbale, ce qui a donné à l'entretien un rythme confortable, à la fois pour l'aidé et pour lui.

La règle du *quatre ou cinq pour un* fournit un ordre de grandeur; elle n'est pas un absolu. L'aidant peut parfois intervenir plus fréquemment, par exemple s'il veut mettre un peu de pression sur l'aidé. Le rapport peut alors être de un pour un, l'aidant faisant une intervention pour chaque énoncé de l'aidé.

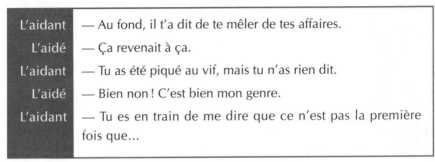

L'aidant	— Au fond, il t'a dit de te mêler de tes affaires.
L'aidé	— Ça revenait à ça.
L'aidant	— Tu as été piqué au vif, mais tu n'as rien dit.
L'aidé	— Bien non! C'est bien mon genre.
L'aidant	— Tu es en train de me dire que ce n'est pas la première fois que...

On voit ici comment l'aidant décide de serrer de près l'aidé, pour le faire réagir et provoquer chez lui une prise de conscience. Avec l'expérience, l'aidant apprend ainsi à exercer un certain contrôle sur le rythme de l'entrevue, de manière que celle-ci demeure à la fois confortable mais stimulante pour l'aidé.

■ Communiquer son empathie

Il se passe bien des choses dans un silence délibéré, à commencer par la communication de son empathie. En accueillant silencieusement les confidences de l'aidé, l'aidant lui dit d'une façon non verbale : «Je m'emploie à pénétrer progressivement dans ton univers et je t'offre un espace pour te permettre de t'exprimer à ton rythme.»

Ce silence verbal va souvent de pair avec des réactions physionomiques qui confirment à l'aidé qu'on réagit à ce qu'il partage. On peut par exemple grimacer légèrement lorsqu'il raconte quelque chose de pénible, écarquiller légèrement les yeux lorsqu'il exprime quelque chose de surprenant, etc. Le silence devient alors une façon privilégiée de communiquer la compréhension empathique (Bohart et autres, 1997, p. 431-432).

Faciliter l'exploration du problème

Le silence ou l'absence délibérée de réaction verbale a un effet de focalisation, comme si l'on disait à l'aidé : «Je te suis, continue à me parler de ton problème.» En voici un exemple :

L'aidée	— Ma fille a décidé d'aller vivre en appartement.
L'aidant	*(Silence attentif signifiant : « Et puis ? »)*
L'aidée	— Vous savez, elle a tout juste dix-neuf ans...
L'aidant	*(Silence attentif signifiant : « Et puis ? »)*
L'aidée	— Dix-neuf ans, je me dis que c'est bien jeune pour voler de ses propres ailes...
L'aidant	— Trop jeune ? (Confrontation.)

Après la première intervention de l'aidée, il aurait été trop tôt pour utiliser le reflet, car la mère est susceptible d'éprouver plusieurs sentiments : inquiétude, soulagement, culpabilité, frustration, envie, etc.

L'aidant aurait pu recourir à la focalisation («Comment vivez-vous cela ?»), mais il a jugé avec raison que ce n'était pas nécessaire, et son silence attentif a permis à l'aidée de poursuivre son exploration à son propre rythme.

Les silences permettent ainsi à l'aidé de se faire attentif à ce qu'il vient d'exprimer ou aux échanges qu'il vient d'avoir avec l'aidant, ainsi qu'aux émotions ou aux idées qui cherchent à faire surface dans son champ de conscience.

Laisser à l'aidé la responsabilité de son problème

En s'empressant d'intervenir, on risque de communiquer à l'aidé le message qu'il est mal ou dangereux d'avoir un problème. De plus, en prenant trop de place, on peut faire naître le faux espoir que l'on va régler rapidement le problème de l'aidé. Au contraire, en intervenant peu, on envoie à l'aidé le message inverse : il a un problème qui n'est pas tragique, c'est son problème et c'est à lui de l'explorer.

Le bref entretien entre un aidant et la mère dont la fille partait vivre en appartement illustre ce point : en s'abstenant d'intervenir verbalement, l'aidant exprime à la mère qu'à première vue il ne voit pas de problème dans la décision de la jeune fille, et que si la mère en voit un, c'est à elle de le formuler.

On doit bien sûr éviter de laisser l'aidé complètement livré à lui-même, le rôle de l'aidant étant de l'accompagner et de lui faciliter l'exploration de son problème. Mais un aidant efficace n'intervient pas beaucoup. En revanche, la plupart de ses interventions ont leur impact.

■ Savoir utiliser les silences

L'aidé utilise d'ordinaire les silences pour explorer mentalement son vécu, s'immerger dans son émotion et se préparer à la nommer. Pendant ce temps, l'aidant en profite pour pénétrer dans l'univers de l'aidé, pour réfléchir à la formulation de son problème et pour préparer l'intervention qu'il fera au moment opportun.

Cela n'est certes pas facile, parce qu'il lui faut continuer en même temps d'enregistrer l'information nouvelle qui devient disponible à mesure que l'aidé se révèle. Mais il est néanmoins plus facile de concilier ces trois tâches (écouter, formuler le problème et préparer son intervention) si l'on n'en ajoute pas une quatrième, qui serait de produire une intervention pertinente à chaque phrase que l'aidé prononce.

■ Discerner les silences improductifs

Il arrive toutefois que les silences cessent d'être productifs. Par exemple, l'aidé peut se trouver en panne dans son exploration ou se sentir confus face à ce qu'il éprouve. Ou encore, il peut juger qu'il a fait sa part et s'attendre à ce que l'aidant réagisse à son tour, que ce soit par un reflet, une focalisation, un résumé, une interprétation ou autre. Enfin, l'aidé peut être aux prises avec une résistance et avoir besoin qu'on l'aide à la surmonter.

Il n'est évidemment pas indiqué de prolonger de tels silences. On doit y mettre fin par une intervention qui relancera l'exploration. Faute d'inspiration, on peut au moins décrire brièvement ce qui se passe et réfléchir tout haut, par exemple de la façon suivante :

« Bon, tu as l'impression d'avoir fait le tour de ton problème... (*Bref silence.*) Qu'est-ce qu'on pourrait retenir de tout ça ? (*Bref silence.*)

Une chose est claire, en tout cas, tu es fatigué de vivre comme ça»
(ou « [...] tu lui en veux beaucoup » ; ou « [...] ça t'inquiète pas mal » ;
ou encore : «[...] tu désespères de trouver une solution à court terme.»)

Une intervention de ce type est souvent de nature à réamorcer
l'exploration.

■ L'ambiguïté des silences

Lorsque l'aidant se sent à l'aise dans l'entretien et en possession de ses
moyens tout en demeurant vigilant, les silences s'intègrent en douceur.
C'est au contraire l'anxiété des aidants en formation qui les amène
habituellement à multiplier les interventions verbales. Lorsque cela se
produit, on a intérêt à revenir mentalement à la formulation du problème et à laisser de la place à l'aidé par des silences respectueux,
quitte à le recentrer, au besoin, en utilisant cette formulation :

«Au fond, ton problème est...»

Ou, dans le doute :

« Est-ce que cela se pourrait que ton problème soit de... »

Même si nous sommes relativement à l'aise dans nos silences, les
interactions entre deux personnes demeurent toutefois complexes et
l'absence de mots garde toujours une part d'ambiguïté. Il arrive ainsi
que l'aidé interprète nos silences comme de l'impuissance ou de l'indif-
férence, comme une approbation ou au contraire une désapproba-
tion. Un aidé m'a dit un jour : «Quand tu ne dis rien, je sais que tu n'es
pas d'accord.» Cette lecture était-elle dénuée de fondement et lui avait-
elle été inspirée par sa culpabilité ? Ou décodait-il avec perspicacité
des signaux subtils de mon inconfort ? Je n'ai pas encore tiré l'affaire
au clair. Ce souvenir illustre bien cette part d'ambiguïté qui demeure
logée dans beaucoup de nos silences. À nous donc de demeurer vigilants
pour accueillir ce qu'il y a à accueillir et décoder ce qu'il y a à décoder.

Un aidant efficace n'intervient pas beaucoup et c'est en bonne partie par le contact visuel et sa physionomie qu'il exprime à l'aidé sa disponibilité et son souci de le comprendre. Ses nombreux recours au silence lui permettent de donner à l'entrevue un rythme confortable mais productif, à la fois pour l'aidé et pour lui-même.

Ces silences permettent à l'aidé de s'approprier son vécu et de progresser dans son exploration, pendant que l'aidant en profite de son côté pour mieux comprendre le problème et pour préparer mentalement l'intervention qu'il fera au bon moment.

Des questions à se poser avant d'intervenir

1. À la suite de ce que l'aidé vient d'exprimer, dois-je intervenir verbalement ou me contenter de maintenir le contact visuel ?

2. L'aidé est-il en train de profiter de ce silence ou s'attend-il à ce que j'intervienne ?

3. L'intervention verbale que je m'apprête à faire (reflet, focalisation, etc.) me semble-t-elle nécessaire, ou ai-je l'impression que l'aidé va continuer de lui-même son exploration si je n'interviens pas ?

4. Suis-je beaucoup intervenu dans les dernières minutes, ou serait-il temps au contraire que je fasse une intervention ?

5. Ce silence a-t-il quelque chose à m'apprendre, que ce soit sur moi et sur mes résistances ou sur l'aidé et ses résistances ?

Exercice Mario encore en prison

Suzanne est criminologue en établissement carcéral. Il y a deux ans, elle avait établi un lien de confiance avec un détenu du nom de Mario, lequel vient d'être incarcéré de nouveau. La rencontre a lieu dans le bureau de Suzanne et les extraits suivants se situent au début de l'entrevue.

Suzanne — Comment ça va ?

Mario — Très mal. (*Visage crispé.*) J'ai consommé et je me suis fait prendre pour un vol.

Suzanne (*1er silence.*)

Mario — J'ai pris an.

Suzanne (*2e silence.*)

Mario — Ça m'écœure. Je m'étais dit que cette fois-là, je réussirais ma transition.

Suzanne (*3e silence.*)

Mario — En plus, mon père et ma sœur ne veulent plus rien savoir de moi.

Suzanne — Tu es pas mal déçu de toi.

Mario — Oui. Je ne ferai jamais rien de bon.

Suzanne (*4e silence.*)

Mario (*Regarde le plancher.*)

Suzanne (*5e silence.*)

Mario (*Fixe le mur.*)

Suzanne (*6e silence.*)

Relevez les silences appropriés et, s'il y a lieu, ceux qui sont improductifs. Dans ce cas, imaginez une meilleure intervention (en vous reportant au besoin au résumé des types d'intervention présenté à la page 34.)

Exercice L'entretien enregistré

Il s'agit d'enregistrer un entretien d'une vingtaine de minutes avec un proche, sur un sujet qui le préoccupe (il n'est pas nécessaire qu'il s'agisse de son plus gros problème…). Après l'entretien, l'aidant rédigera le mot à mot d'un extrait de l'entretien où il est beaucoup intervenu verbalement, et il tentera de répondre aux questions suivantes :

1. Certaines interventions verbales que j'ai faites auraient-elles pu être simplement remplacées par un silence ?

2. Si oui, qu'est-ce qui m'a amené à intervenir verbalement dans chacun de ces cas ?

3. Si j'avais observé un silence à ce moment, puis-je imaginer l'impact que cela aurait pu avoir sur la démarche de l'aidé ?

Chapitre 6

Le reflet
et la reformulation

Les objectifs du présent chapitre :

- examiner la nature du reflet et de la reformulation ;
- examiner les formes de ces types d'intervention ;
- apprendre à s'en servir.

L'organisme psychique s'exprime d'abord par les émotions ou les sentiments, et c'est la compréhension empathique qui permet de décoder ce langage. C'est en effet par l'empathie que l'on peut voir, entendre, ou encore avancer une déduction ou une hypothèse à partir d'une idée ou d'un sentiment exprimés par l'aidé.

Lorsque le vécu en cause n'est pas exprimé clairement, l'aidant part de la situation décrite par l'aidé et se demande, par exemple, comment lui-même se sent d'habitude quand quelqu'un le laisse tomber (tristesse ou frustration), quand il laisse lui-même tomber quelqu'un (culpabilité ou vengeance), quand quelque chose le préoccupe (inquiétude et stress), etc.

Il lui reste alors à transmettre ce sentiment à l'aidé, ce qui s'appelle le reflet. Prenons l'exemple de quelqu'un qui est triste. L'aidant pourra refléter ce sentiment de différentes façons, en disant par exemple :

- « Je te sens triste. »
- « Ce n'est pas gai, ce que tu vis. »
- « Ça ne doit pas être facile de vivre ça. »
- « D'une certaine façon, ça doit t'atteindre... »
- « C'est comme si ça te laissait un goût de tristesse... »
- « Je sens que si tu ne te raisonnais pas, tu aurais le goût de pleurer... »
- « Tu n'en fais pas un drame, mais en même temps, ça te fait mal. »
- « C'est comme si tu vivais un deuil... »

Ces interventions ont en commun le fait d'être brèves, d'être formulées en termes faciles à comprendre, et d'exprimer clairement le sentiment en question. On peut imaginer d'autres formulations ou d'autres images qui permettraient de bien refléter la tristesse de l'aidé.

■ L'orientation du reflet

Un bon reflet est sélectif. Il est rarement nécessaire de relever tous les sentiments que l'aidé exprime, sauf par exemple si l'on veut refléter la confusion :

« Tu es assez mêlé, hein ! L'emploi qu'on t'offre t'intéresse beaucoup, mais en même temps, tu n'es pas sûr d'être assez qualifié. Tu as envie d'accepter, mais tu as peur que ça te force à être moins présent auprès de ta famille... »

D'habitude, on va chercher le sentiment qui *parle le plus fort*, et qui correspond à celui que l'aidé a le plus besoin d'exprimer. Ce besoin est tellement insistant que, si on n'y est pas attentif et qu'on le laisse passer sans communiquer à l'aidé d'une façon ou d'une autre qu'on l'a entendu, il y reviendra à diverses reprises. Pour illustrer ce point, reportons-nous au dialogue du chapitre 2 qui mettait en scène un chômeur, Martin, et son aidant, René.

Martin	— On ne s'attendait vraiment pas à ce qu'ils ferment notre usine, qui était bien mieux équipée que d'autres.
René	— Est-ce que la perte de votre emploi a affecté votre vie de couple ?
Martin	—Non. Mais il a fallu refaire notre budget, renégocier l'hypothèque... Comme je vous le disais, je ne m'attendais vraiment pas à ce qu'ils ferment notre usine...
René	— Est-ce que le fait de ne plus avoir de salaire a modifié vos projets ?

Le sentiment qui *parle fort* est répété presque textuellement sans que l'aidant y réagisse de quelque façon. Cela pourrait amener Martin à revenir à la charge une troisième fois, mais il se pourrait aussi qu'il décroche de l'entretien à la première occasion.

Un reflet simplement formulé aurait permis à Martin de se sentir compris et de poursuivre l'exploration de son vécu : « Ça vous a pris par surprise. » Ou encore : « Vous n'aviez pas vu venir ça. »

Le reflet du sentiment le plus intense n'est cependant pas une règle absolue. On peut aussi refléter le sentiment sous-jacent, qui n'est souvent perceptible que par quelques indices : le choix d'un mot, un soupir, une hésitation, une brève lueur de colère dans le regard ou des yeux qui se mouillent, un fléchissement de la voix, etc.

▪ Le champ expérientiel

Arrêtons-nous quelques instants à ce phénomène du sentiment sous-jacent, à l'aide du concept de *champ expérientiel* (ou *champ perceptuel*). Ce champ correspond à l'univers subjectif de l'aidé, c'est-à-dire à la conscience qu'il a de ce qui se passe en lui et autour de lui.

L'humain est un être complexe, qui est soumis simultanément à une foule de stimuli. De plus, son passé est tissé d'expériences qui colorent ses réactions présentes. Or, certaines de ces réactions demeurent enfouies sous le seuil de sa conscience, soit parce qu'elles sont menaçantes, qu'elles ne cadrent pas avec son image de soi, soit simplement parce qu'elles sont encore en train de prendre forme en lui.

Le champ expérientiel est un peu comme un terrain constitué de couches géologiques représentant chacune un état affectif différent. Illustrons cela à l'aide de l'exemple d'un aidé qui vient d'apprendre que sa conjointe a entrepris des démarches juridiques en vue d'un divorce. La figure 3 illustre la façon dont son champ perceptuel pourrait être structuré.

Posons l'hypothèse que l'aidé est conscient des deux premiers sentiments énumérés (stupeur et désarroi), qu'il est partiellement conscient du sentiment de colère qu'il éprouve, qu'il n'est ouvert à sa tristesse que d'une façon vague et fugitive, et qu'il n'a pas accès pour l'instant aux autres sentiments sous-jacents (soulagement, sentiment d'échec, etc.).

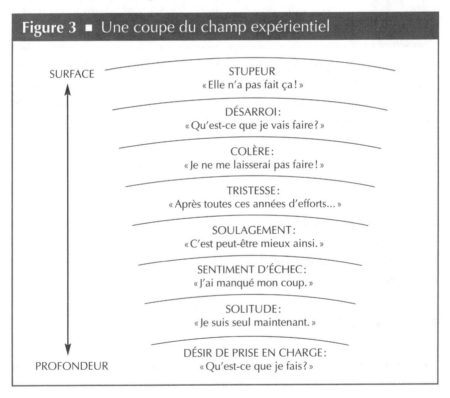

Figure 3 ■ Une coupe du champ expérientiel

SURFACE

STUPEUR
« Elle n'a pas fait ça ! »

DÉSARROI :
« Qu'est-ce que je vais faire ? »

COLÈRE :
« Je ne me laisserai pas faire ! »

TRISTESSE :
« Après toutes ces années d'efforts... »

SOULAGEMENT :
« C'est peut-être mieux ainsi. »

SENTIMENT D'ÉCHEC :
« J'ai manqué mon coup. »

SOLITUDE :
« Je suis seul maintenant. »

DÉSIR DE PRISE EN CHARGE :
« Qu'est-ce que je fais ? »

PROFONDEUR

Pour avoir accès aux couches profondes, le sujet doit d'abord accéder aux couches de surface, ce qui implique une prise de conscience suivie d'une expression. Ce dernier terme est à prendre au sens littéral d'*ex-pression*, c'est-à-dire de « laisser aller de la pression ». Nous y reviendrons plus loin.

Différentes fonctions du reflet

Un aidant habile utilise différemment le reflet en fonction de l'impact visé. Jetons un coup d'œil sur ces divers objectifs, tout en demeurant conscients qu'un même reflet permet d'habitude d'atteindre plus d'un objectif.

■ Reconnaître le sentiment exprimé par l'aidé et bâtir la relation

Nous avons vu que c'est seulement quand il sent que l'aidant a reconnu l'émotion qu'il vient d'exprimer que l'aidé se sent libre de continuer son exploration. Voici quelques exemples de reflets qui vont dans ce sens : « Ça t'a fait mal », « Vous ne vous sentez pas fière de vous », « Tu te sens perdu... »

Au début d'un entretien, un reflet qui rejoint bien le vécu de l'aidé est de nature à établir la crédibilité de l'aidant et à créer ainsi un climat favorable à la poursuite de l'exploration.

■ Permettre à l'aidé de clarifier son vécu immédiat

La deuxième fonction du reflet est surtout d'ordre cognitif : aider le sujet à reconnaître l'émotion qui l'habite et à en explorer le contexte. Par exemple, si l'aidé a peur, c'est que quelque chose le menace. S'il est triste, c'est que quelque chose l'a blessé. S'il est en colère, c'est que quelqu'un entrave sa route ou lui manque de respect, etc. Voici un exemple : « En vous écoutant parler, c'est comme si je vous sentais déçu de la façon dont a été fêté votre anniversaire. »

■ Centrer l'aidé sur une émotion sous-jacente

Lorsque l'aidé accède à son émotion de surface et qu'on lui a communiqué (fût-ce de façon non verbale) qu'on a bien perçu cette émotion, on peut alors se centrer sur l'émotion sous-jacente. Par exemple : « Vous vous dites déçu qu'on ait improvisé votre anniversaire à la dernière minute, mais en même temps, je vous sens un peu fâché. Est-ce que je me trompe ? »

■ Rassurer l'aidé en dédramatisant son vécu

Il est souvent rassurant de pouvoir nommer ce qui se passe. Lorsque l'aidant nomme un sentiment, c'est comme s'il donnait à l'aidé la permission de se sentir comme il se sent, comme s'il lui disait implicitement : « Vous avez le droit de vous sentir coupable, faible, affolé, envieux, fier... »

Ou encore: «Dans la situation où vous vous trouvez, il est normal et compréhensible que vous ayez peur, que vous soyez fâché, que vous vous sentiez confus...» (On utilise parfois le terme *validation* pour décrire cette importante fonction du reflet [Linehan, 1997, p. 355-356].)

Notons qu'un bon reflet évite les jugements de valeur. Ainsi, on dira: «Vous ne vous sentez pas le courage de lui dire la vérité», plutôt que: «Vous avez envie de lui mentir.»

■ Mettre l'aidé en déséquilibre

Il est rassurant de se comprendre soi-même et de se sentir compris. Mais un reflet bien aiguisé peut aussi mettre l'aidé en déséquilibre, par la prise de conscience qu'il provoque. Un tel reflet devient alors une confrontation (Scaturo, 2005, p. 58). Nous y reviendrons au chapitre 8.

En règle générale, on obtient plus d'effet avec un reflet aiguisé qui n'est pas une simple répétition de ce que l'aidé vient de dire, mais qui le surprend un peu: «Au fond, tu t'en veux un peu de t'être fait avoir», de préférence à: «Tu trouves que le vendeur n'a pas été honnête avec toi.»

■ Ralentir le rythme de l'exploration

L'aidant vise à activer le processus exploratoire de l'aidé. Mais, s'il devient trop rapide, ce processus risque de devenir inconfortable, et à la limite improductif. Cela est susceptible de se produire notamment après une séquence d'interventions qui ont mis de la pression sur l'aidé. À ce moment, un reflet plus englobant, moins aiguisé, permettra à l'aidé de reprendre son souffle. Par exemple: «Au fond, les choses ont bien changé depuis quelques mois, et vous vous seriez bien passé de ça...»

■ Le développement du réflexe empathique

Plusieurs aidants en formation ont de la difficulté à utiliser le reflet parce que, dans le feu de l'action, ils ne réussissent pas à reconnaître à temps le sentiment éprouvé par l'aidé. Voici deux façons de faciliter le développement du réflexe empathique:

1. Après une conversation (sans qu'il s'agisse nécessairement d'une relation d'aide), se demander quel était le sentiment principal de son interlocuteur. Tenter ensuite de voir s'il éprouvait d'autres sentiments qui cherchaient à s'exprimer.

2. Lors d'un échange informel entre amis, profiter du fait qu'on n'a pas la parole pour se poser les mêmes questions au sujet des personnes qui sont en train de s'exprimer.

Ces exercices devraient aider à détecter plus rapidement et avec plus de précision les différents sentiments éprouvés par autrui.

■ La réaction au reflet

L'aidé peut réagir de différentes façons à un reflet :

– il peut se sentir légèrement impatient si l'aidant ne fait que lui retourner platement un sentiment évident ; il pensera ou exprimera de façon non verbale « oui, c'est ce que je viens de dire » ; or, une telle réaction tend à diminuer son implication ;

– il peut avoir l'impression qu'il ne s'est pas bien fait comprendre, et il tentera alors de se faire plus précis ;

– il peut se sentir compris, ce qui le stimulera à poursuivre son exploration ;

– il peut se sentir mieux compris qu'il ne se comprenait lui-même jusque-là ; il pourra par exemple s'exclamer : « C'est ça ! » ce qui aura un effet stimulant sur sa démarche ;

– il peut se sentir précédé par l'aidant dans sa compréhension de lui-même, ce qui lui demandera un effort pour accéder à son vécu et pour le nommer ; il pourra alors se taire un moment, puis dire sur un ton réflexif : « Oui, en y repensant, j'ai bien l'impression que c'est ça. » Ce type de reflet est également très productif (Rogers et Sanford, 1985, p. 1378).

Bref, lorsque le reflet a visé juste, l'aidé se détend un peu, et il est stimulé à poursuivre son exploration. Dans le cas contraire, son visage se contracte, il grimace légèrement ou fronce les sourcils. Il va soit se répéter, soit tenter de se clarifier pour mieux se faire comprendre. L'aidé ne s'attend pas à ce que l'on vise juste à tout coup et s'il se sent écouté dans l'ensemble, il s'empressera volontiers de corriger l'une ou l'autre des inexactitudes. Dans le pire des cas toutefois, si plusieurs reflets incorrects lui ont été formulés, il changera de sujet. Et si le problème persiste, il décrochera éventuellement de l'entretien.

■ La reformulation

Alors que le reflet vise d'habitude à nommer un sentiment, il est parfois utile que l'aidant résume dans ses propres mots ce que l'aidé a dit. Ce type d'intervention s'appelle la reformulation.

Par exemple, après avoir écouté un aidé s'exprimer sur ses difficultés avec sa fille, un aidant lui dit: «Ce que j'entends, c'est: "J'ai beau m'y prendre de toutes les façons, ma fille trouve toujours le moyen d'en faire à sa tête."»

Contrairement au reflet, cette intervention ne nomme donc pas un sentiment comme tel. Si l'aidé y acquiesce, verbalement ou non, l'aidant pourra alors y aller d'un reflet, en fonction du sentiment qu'il aura capté. Par exemple:

- «Ça finit par être frustrant, à la longue...» (Frustration.)
- «Il y a quelque chose qui vous inquiète là-dedans...» (Inquiétude.)
- «Vous vous sentez à court de moyens...» (Impuissance.)
- «Vous avez envie de démissionner et de la laisser s'arranger toute seule...» (Lassitude.)

La reformulation permet d'encadrer l'aidé pour éviter qu'il tourne en rond en se répétant. Mais elle est surtout utile pour l'amener à se situer face à l'essentiel de ce qu'il vient d'exprimer. Le dialogue suivant fournit un autre exemple de ce type d'intervention:

- «Mon père est mort il y a trois mois. On a discuté, on a fait la paix, et il est mort paisiblement.»
- «Vous aviez des choses à vous pardonner mutuellement.»

■ Le reflet-reformulation

Bien que techniquement distincts, le reflet et la reformulation sont habituellement associés, comme dans les exemples d'intervention suivants:

- «Ça vous a fâché que votre fille soit encore en retard malgré vos avertissements répétés.»
- «Ça vous inquiète de voir votre fille fréquenter un homme plus âgé qu'elle et qui a des problèmes de drogue.»

Le reflet-reformulation peut également porter sur autre chose qu'un sentiment, comme l'image de soi, les principes, les croyances ou les interdits de l'aidé, ses mécanismes d'adaptation, ses projets, etc. (Greenberg et Elliott, 1997, p. 171). Voici quelques exemples:

- «Faire les premiers pas avec un homme, ce n'est pas quelque chose que vous vous permettriez.» (Reflet-reformulation d'un principe.)
- «Vous tenez à lui rendre un service à votre tour, de manière à ne rien lui devoir et à garder votre indépendance.» (Reflet-reformulation d'un mécanisme d'adaptation.)

- « Tu trouves que ta réaction ne ressemble pas à la fille sage à laquelle tu es habituée. » (Reflet-reformulation de l'image de soi.)

Ces interventions reformulent en plus clair ce que l'aidé a exprimé à sa façon. À mesure toutefois que l'on s'éloigne de son vécu immédiat pour tenter de comprendre et de lui faire comprendre une facette ou l'autre de son comportement, on se dirige vers un autre type d'intervention, soit l'interprétation. Nous y reviendrons au chapitre 11.

▪ Le résumé

Lorsque la reformulation porte sur une portion plus importante de l'entretien, elle devient un résumé. Le résumé sert pareillement à favoriser la compréhension de ce qui a été partagé et il peut aussi servir à clore un entretien, en faisant ressortir, s'il y a lieu, les décisions de l'aidé. Par exemple, à la fin d'un entretien dans lequel un homme explore ses difficultés avec sa fille, on pourrait dire : « Si on résume, vous allez inviter votre fille au restaurant en fin de semaine pour lui faire part de ce que vous avez décidé, et on se revoit la semaine prochaine pour revenir sur la façon dont ça se sera passé. C'est exact ? »

En bref	Le reflet exprime plus clairement soit le sentiment qui *parle le plus fort,* soit un sentiment dont l'aidé n'est pas encore conscient. Par le reflet, on lui manifeste qu'on l'écoute attentivement et on l'aide à mettre des mots sur son vécu. Le reflet peut soit rassurer l'aidé en lui montrant que sa réaction est compréhensible, soit le déstabiliser en le faisant accéder à un aspect méconnu de son vécu.

Des questions à se poser avant d'utiliser le reflet

1. Est-ce que je reflète le bon sentiment, à son degré exact d'intensité (l'inquiétude étant moins intense que l'anxiété, la colère étant plus intense que la frustration) ?

2. Le reflet est-il formulé dans mes mots à moi (de façon que je ne répète pas simplement ce que l'aidé vient de dire) ? La formulation est-elle claire et brève ?

3. Si je veux surtout manifester que j'ai perçu le sentiment éprouvé par l'aidé, les mots et le ton que je me propose d'utiliser sont-ils chaleureux (par exemple : « Ça ne doit pas être facile à vivre. ») ?

4. Si je veux surtout aider le sujet à mieux comprendre son problème, ma formulation est-elle aiguisée (par exemple : « Il est resté poli, mais au fond, tu as senti qu'il ne voulait rien savoir de toi. ») ?

N.B. Étant donné que la différence entre un reflet précis et efficace et un reflet flou ou inexact est souvent une question de vocabulaire, on trouvera à l'annexe 1 aux pages 173-174 une liste de termes évoquant des sentiments.

Exercice │ Le reflet et la reformulation

Voici dix cas mettant en scène des personnes qui se confient à un aidant. Pour chacun des cas, il s'agit d'écrire sur la ligne, entre les parenthèses, le nom du sentiment dominant vécu par la personne (reflet) puis de traduire dans une courte phrase l'essentiel du propos exprimé (reformulation). L'encadré suivant fournit deux exemples :

Premier exemple

« Je n'étais pas fâchée d'apprendre que mon mari a changé d'idée à propos de l'auto. Il voulait la remplacer par une neuve, mais je trouve qu'on n'en a pas les moyens ces temps-ci. »

(Soulagement.) Ça vous soulage qu'il ait décidé d'attendre.

Deuxième exemple

« Je suis fatigué d'entendre parler de mon beau-frère. D'après ma femme, il sait tout faire, ce type-là, et il est toujours correct. À côté de lui, c'est comme si j'étais un bon à rien. »

(Dévalorisation.) Ça vous dévalorise que votre femme vous parle si souvent de son frère.

Le non-verbal fournirait bien sûr des indices supplémentaires, mais on peut néanmoins faire l'exercice à partir des seuls indices verbaux présentés ici.

Cas 1

« Mon père est plutôt près de son argent. Mais c'est drôle, ma mère m'a dit qu'il a donné un bon montant au fils du voisin qui est retourné aux études. »

(_____) _____

Cas 2

« Mon père est plutôt près de son argent. Mais c'est drôle, ma mère m'a dit qu'il a donné un bon montant au fils du voisin qui est retourné aux études. Il y en a qui sont chanceux... »

(_____) _____

Cas 3

« Ça fait longtemps que je ne m'étais pas senti aussi important. Ma fille a eu son premier enfant, et quand je suis arrivé à l'hôpital, elle venait tout juste de l'allaiter. Elle a dit : "Papa, c'est ton premier petit-fils", et elle me l'a mis dans les bras. »

(_____) _____

Cas 4

« Mon ex-mari voulait m'emprunter de l'argent, et parce que j'ai refusé, il se venge sur la petite. Comment un homme peut-il faire ça ? »

(_____) _____

Cas 5

« Ma belle-mère est une femme supersympathique. Même que, des fois, quand ma femme est déplaisante, elle me fait un clin d'œil pour m'encourager à être patient. »

(_____) _____

Cas 6

« Je ne sais pas ce que je donnerais pour être plus instruite. Il me semble que ça me donnerait plein de possibilités. Mais j'étais l'aînée et il fallait que je travaille... »

(_____) _____

Cas 7

« On file le parfait bonheur, mon amie et moi. C'est une fille qui a toutes les qualités. Mais il y a quelque chose... elle en a trop ! Je me dis parfois qu'elle va finir par rencontrer un gars plus attirant que moi... »

(_____) _____

Cas 8

«Mon père ne tient pas ses promesses. Il m'avait dit qu'il m'offrirait un nouveau vélo pour mon anniversaire, et là, il me dit d'attendre à l'an prochain.»

(_____) _____

Cas 9

«Tous les soirs, il y a des jeunes du coin qui font un vacarme terrible avec leurs motos juste devant chez moi. Mais je n'ose pas me plaindre à la police. Les jeunes d'aujourd'hui...»

(_____) _____

Cas 10

«Il y a un étudiant dans mon groupe qui passe son temps à contredire le prof. Il a des idées sur tout et, d'après lui, elles sont toujours meilleures que celles des autres. S'il pouvait se taire, de temps en temps!»

(_____) _____

Chapitre 7

La focalisation

Les objectifs du présent chapitre :
- examiner la nature de la focalisation et ses différentes formes ;
- apprendre à l'utiliser.

Nous avons vu que le reflet stimule le processus exploratoire de l'aidé. Cependant, il arrive que, même à la suite d'un reflet réussi, ce dernier se trouve en panne dans son exploration. Alors la focalisation devient utile pour réactiver sa démarche.

Le mot « focalisation » vient du latin *focus* qui signifie « foyer ». Par extension, ce mot désigne le lieu d'où provient la lumière ou la chaleur. Dans la relation d'aide, « focaliser », ou « faire une focalisation », c'est inviter l'aidé à faire la lumière sur son problème en se centrant sur un point précis, qu'il s'agisse d'un événement ou d'une situation, d'un sentiment, d'une idée ou d'un projet, etc. Ce type d'intervention peut prendre différentes formes.

▪ Quatre formes de focalisation

■ La focalisation non verbale

On a vu que le simple fait de maintenir un contact visuel et de manifester son attention amène l'aidé à poursuivre son exploration. C'est notre posture et notre physionomie qui incitent alors silencieusement l'aidé à continuer à clarifier ce qui le préoccupe.

■ La question ouverte

D'habitude, la focalisation verbale prend la forme d'une question ouverte, c'est-à-dire d'une question à laquelle on ne peut répondre seulement par oui ou non. La question ouverte incite donc l'aidé à continuer d'explorer les aspects de son expérience qui sont les plus signifiants pour lui. Voici quelques exemples de questions ouvertes.

À l'étape de l'expression
- « Comment ça s'est passé ? »
- « Comment vous sentez-vous en ce moment ? » (ou : « Qu'est-ce qui se passe ? »)
- « Comment te sens-tu par rapport à lui ? » (ou : « [...] par rapport à ça ? »)
- « Si elle était devant vous, qu'est-ce que vous auriez envie de lui dire ? »
- « Qu'est-ce qui te fait le plus peur là-dedans ? » (ou : « [...] qui t'embête le plus ? », ou encore : « [...] qui te frustre le plus ? »)

- « Qu'est-ce que ça te fait de le réaliser ? » (ou : « [...] de te faire dire ça ? »)
- « Vous dites que votre mari agit toujours de façon à ce que vous vous sentiez inférieure. J'aimerais qu'on regarde ensemble une situation concrète, par exemple la dernière fois où ça s'est produit... »
- « Sous ta déception (ou ta frustration), est-ce qu'il y aurait autre chose ? »

À l'étape de la compréhension

- « Qu'est-ce que cette peur-là te dit sur toi ? » (ou : « [...] cette culpabilité-là [...] ? », ou : « [...] cette frustration-là [...] ? »)
- « D'où ça peut venir, cette réaction-là ? »
- « Tu dis que tu as toujours eu du mal avec lui. De quoi penses-tu que ça pourrait dépendre ? »
- « Pourquoi penses-tu que tu réagis ainsi ? » (ou : « Comment expliques-tu ton comportement ? »)
- « Qu'est-ce que vous retenez de tout ça ? »

À l'étape des scénarios de solution

- « Quelle serait la solution à ton problème ? »
- « Comment prévoyez-vous vous organiser, maintenant ? »
- « Comment aurais-tu envie de t'y prendre pour changer ? »
- « Si tu avais une baguette magique, qu'est-ce que tu ferais ? »
- « Comment vas-tu t'y prendre pour lui dire ça ? »
- « Si la situation se représente, comment vas-tu réagir ? »
- « Qu'est-ce qui vous attend, maintenant ? »

Face à ces questions, l'aidé ne peut pas répondre par un oui ou un non. Il est invité au contraire à travailler, à s'ouvrir à ses sentiments, à s'interroger sur ses réactions, à réfléchir sur la façon dont il va solutionner son problème...

■ La focalisation par répétition

On peut parfois faire une bonne focalisation en répétant simplement le mot qui apparaît important dans ce que l'aidé vient de dire, de manière à l'inviter à poursuivre. Le dialogue suivant illustre bien ce type de focalisation :

L'aidée	— Ma mère ne voulait pas que je sois religieuse. Pourtant, j'aurais bien aimé ça.
L'aidante	— Vous auriez aimé ça ? (Focalisation par répétition.)
L'aidée	— Oui, mais ma mère ne voulait pas. Elle disait : « Je ne te le permettrai jamais. Je te vois infirmière. Tu prends tellement bien soin de moi. »
L'aidante	— Et si vous aviez eu le choix ? (Focalisation par question ouverte.)
L'aidée	— Ah! J'aurais choisi d'être religieuse. Et pas n'importe quelle sœur! Une sœur cloîtrée.
L'aidante	— Une sœur cloîtrée ? (Focalisation par répétition.)
L'aidée	— Ah oui! C'est ça que j'aurais voulu. J'étais pieuse. J'aurais beaucoup aimé ça !

Il ne faut toutefois pas abuser de la focalisation par répétition, pour ne pas donner à l'aidé l'impression qu'il est écouté par un perroquet. Mais cette façon de faire permet tout de même de varier notre répertoire et de stimuler l'aidé dans son exploration par une brève intervention directement empruntée à son cadre de référence à lui.

■ La focalisation à l'aide d'un adverbe ou d'une conjonction

Parce qu'ils permettent une intervention brève, plusieurs adverbes ou conjonctions se prêtent très bien à la focalisation : « De quelle façon ? », « Depuis quand ? », « Mais... », « Souvent ? », « Pourquoi ? », « De plus en plus ? », « Nulle part ? », « Jamais ? », « Tout le temps ? », « À ce point-là ? », « Trop ? », « Dans quel sens ? », « Donc... », « Bref... ».

Examinons l'exemple suivant :

L'aidé	— Tu sais, ce serait la femme parfaite pour moi. On a des conversations à n'en plus finir, c'est toujours intéressant. Elle est gentille, jolie aussi, elle a tout.
L'aidante	— Mais... (Focalisation à l'aide d'une conjonction.)
L'aidé	— C'est ça. Mais... On a fait l'amour une fois et je me suis senti terriblement coupable.

L'aidante a remarqué que l'aidé n'a pas dit « c'est la femme parfaite », mais « ce serait la femme parfaite ». Elle aurait pu recourir à une reformulation : « Elle a tout, mais il y a quelque chose qui bloque. » En intervenant à l'aide d'un seul mot, elle a obtenu le même effet, soit celui d'inciter l'aidé à poursuivre son exploration.

■ Différentes fonctions de la focalisation

Comme pour le reflet, la façon d'utiliser la focalisation varie en fonction de l'effet désiré. Voici les principales fonctions de ce type d'intervention.

■ Interrompre les verbalisations non productives de l'aidé

Il arrive que l'aidé se perde dans des détails sans explorer vraiment son vécu. La focalisation peut alors l'aider à interrompre son flot de paroles pour le centrer sur ce qu'il éprouve en ce moment face à son problème. En voici un exemple : « J'aimerais que tu t'arrêtes un moment pour te demander comment tu te sens en me racontant tout ça. » Ou encore : « Je vous arrête une minute parce que vous dites beaucoup de choses et je veux être sûr de bien vous comprendre. Si vous aviez à me résumer tout ça en une phrase, qu'est-ce que vous diriez ? »

■ Permettre à l'aidé de se révéler à sa façon

Parce qu'elle est en principe moins restrictive qu'une question fermée, une question ouverte favorise normalement une plus grande spontanéité. Par exemple, lorsqu'on demandait à des sujets ce qu'ils préféraient dans un emploi (question ouverte), la plupart répondaient que c'était un bon salaire. Mais lorsqu'on leur présentait l'alternative *bon salaire* ou *épanouissement personnel,* deux fois moins de répondants choisissaient le bon salaire (Hargie et Dickson, 2004, p. 126).

On peut donc penser que la question fermée (épanouissement versus argent) était plus susceptible d'amener les sujets à se censurer et à donner la *bonne réponse,* tandis que la question ouverte leur permettait de s'exprimer plus spontanément.

■ Cerner l'émotion sous-jacente

L'aidé a souvent besoin qu'on le libère délicatement de l'émotion dont il semble prisonnier, pour le centrer sur l'émotion non identifiée que l'on flaire sous la surface. Par exemple : « Vous dites que vous êtes triste, mais j'ai l'impression d'entendre autre chose sous cette tristesse. Pouvez-vous essayer de voir ce que ça pourrait être ? »

■ Aider le sujet à comprendre son émotion

Une émotion correctement identifiée demande encore à être mise en perspective, pour que l'aidé soit ensuite en mesure de se situer face à elle. Par exemple, c'est une chose de savoir qu'on est en colère et c'en est parfois une autre de bien déterminer la cible et la raison de cette colère.

Ainsi, une aidée qui se disait féministe s'est aperçue que sa colère contre les machos était plutôt dirigée contre son ex-mari qui l'avait dominée. À la suite d'une focalisation, elle a aussi réalisé qu'elle dirigeait au moins une partie de cette colère contre elle-même : elle s'en voulait de s'être complu si longtemps dans un rôle de victime ; rôle qu'elle entretenait, selon elle, pour ne pas avoir à se prendre en main. Nous n'avons pas le texte intégral de cette entrevue, mais on pourrait imaginer la séquence suivante :

L'aidant	— Vous en voulez à votre ex-mari. (Reflet.) Qu'est-ce que vous lui reprochez au juste ? (Focalisation.)
L'aidée	— Je lui reproche de m'avoir traitée comme une servante pendant vingt ans. (*Silence.*)
L'aidant	— Qu'est-ce qui s'est passé pendant ces vingt années ? (Focalisation.)
L'aidée	— Rien, justement. J'ai été assez stupide pour me laisser exploiter sans rien faire.
L'aidant	— Finalement, vous êtes plus en colère contre vous-même que contre lui... (Reflet.)

Dans d'autres cas, il suffira de simples questions comme : « De quoi ça pourrait dépendre, selon vous ? » Ou : « Vous êtes-vous déjà demandé ce qui vous fait réagir si fortement ? »

■ Inviter l'aidé à se résumer

Imaginons que l'aidé ait exploré tour à tour diverses pistes, comme le climat familial, certaines frustrations au travail, certaines difficultés personnelles. L'aidant peut alors résumer ce qui semble ressortir, mais il peut aussi inviter l'aidé à le faire lui-même : « Depuis vingt minutes, vous avez ouvert plusieurs portes. Pourriez-vous résumer ce que vous retenez de tout ça ? »

▪ Faciliter l'élaboration de scénarios de solution

Lorsque l'aidé a exprimé ce qu'il ressent et qu'il a pris conscience de ce qui l'amène à éprouver ces sentiments, il doit alors déterminer les comportements qu'il veut changer. La focalisation pourra l'aider à élaborer différents scénarios. Par exemple : « Il est devenu clair pour toi que tu dois changer de travail. As-tu une idée de la façon dont tu peux t'y prendre ? »

Si on a l'impression que l'aidé se laisse arrêter par des détails ou des obstacles qui lui paraissent insurmontables, on peut stimuler sa créativité par une focalisation telle que la suivante : « Si ça ne dépendait que de toi, comment aimerais-tu que les choses se passent ? »

Une fois qu'il a décrit la situation idéale, on peut explorer avec lui les obstacles ou les résistances qui l'empêchent de passer à l'action. Cette démarche lui permet parfois de réaliser que la situation n'est pas aussi fermée qu'il l'imaginait.

Étant donné que beaucoup de scénarios de prise en charge impliquent des négociations avec une tierce personne, la focalisation peut également prendre la forme suivante : « Qu'est-ce que vous auriez envie de dire à votre mari ? » Puis : « Comment pensez-vous qu'il réagirait ? », etc.

▪ Le tandem reflet-focalisation

Le reflet nomme le vécu de l'aidé tandis que la focalisation invite l'aidé à nommer lui-même ce vécu. La focalisation a donc pour effet d'accentuer le rythme de l'entretien, puisqu'elle situe l'aidé dans un rôle plus actif, tandis que le reflet lui permet plutôt d'avancer à son rythme, puisqu'on se limite alors à mieux nommer ce vécu.

Il s'avère que, si l'on n'utilise que le reflet, l'aidé risque de manquer de stimulation, tandis que si l'on recourt seulement à la focalisation, le rythme de l'entretien tendra à s'accélérer jusqu'à devenir inconfortable.

L'alternance du reflet et de la focalisation permet donc d'imposer à l'entretien un rythme convivial et productif. Cette alternance n'a pas à être systématique (un reflet, une focalisation, etc.), mais plutôt approximative : un ou deux reflets et une focalisation, ou quelques focalisations et un reflet, etc.

■ Ne pas faire siennes les émotions de l'aidé

Nous avons parlé jusqu'ici du confort de l'aidé. Mais l'utilisation du reflet et de la focalisation permet aussi de prévenir l'inconfort de l'aidant face à l'intensité de certaines émotions de l'aidé. Les observations suivantes, faites par une aidante en formation, font bien ressortir le fait qu'une bonne utilisation de la focalisation et du reflet permet à l'aidant de ne pas faire siennes les émotions de l'aidé.

> «Pendant l'entrevue, je me sentais à l'écoute, concentrée, reflétant au fur et à mesure à l'aidée ce que je saisissais d'elle. Je n'ai aucunement vécu sa peur, son angoisse. Je les ai seulement senties, comme si le fait de focaliser et de refléter me permettait de garder une distance, de ne pas vivre à sa place, mais de l'accompagner dans sa nouvelle compréhension.»

En nommant le vécu de l'aidé au moyen du reflet, c'est comme si l'aidant se disait intérieurement : «C'est sa peur à lui et non la mienne, sa peine à lui et non la mienne...» Il en est de même pour la focalisation : en posant une question à l'aidé, c'est comme si l'aidant se disait intérieurement : «Parle-moi de ta peur à toi, de ta peine à toi...»

■ Une distinction parfois difficile

Même si le reflet et la focalisation sont deux outils distincts, il peut arriver qu'une intervention prenne aussi bien la forme d'un reflet que d'une focalisation.

Par exemple, l'intervention «Il y a quelque chose qui ne va pas?» peut constituer un reflet, l'aidant disant en substance à l'aidé : «Je te sens préoccupé.» Mais cette phrase peut aussi correspondre à une focalisation, puisque c'est comme si l'aidant disait à l'aidé : «Parle-moi de ce qui te préoccupe.» Pour compliquer davantage les choses, on pourrait même faire remarquer que la phrase «Il y a quelque chose qui ne va pas?» constitue aussi techniquement une question fermée (exigeant une réponse par oui ou non).

La difficulté de bien distinguer entre reflet et focalisation est donc parfois compréhensible; d'autant plus que le reflet a normalement un effet focalisateur, puisqu'il attire l'attention de l'aidé sur son sentiment et qu'il l'encourage à en poursuivre l'exploration, comme le montre l'exemple suivant :

| L'aidant | — Tu as été surpris qu'il te dise ça. (Reflet.) |
| L'aidé | — Ah oui! Et en plus, je me suis senti fâché parce que... |

Focaliser, c'est inviter l'aidé à préciser ce qu'il ressent, ce qu'il comprend ou ce qu'il prévoit faire. La focalisation prend surtout la forme d'une question ouverte, et elle atteint son impact optimal lorsqu'elle est utilisée en complémentarité avec le reflet.

Des questions à se poser avant d'utiliser la focalisation

1. L'aidé éprouve-t-il un sentiment intense ? Si oui, il est préférable de refléter d'abord ce sentiment.

2. Si je recours maintenant à la focalisation, cela va-t-il orienter l'aidé vers un point pertinent pour lui ?

3. Ai-je fait plusieurs focalisations dans les dernières minutes ? Si oui, il est préférable de respecter quelques silences et de procéder à quelques reflets avant de focaliser de nouveau.

Exercice Une démarche d'écoute active à deux

Cet exercice vise principalement à acquérir la capacité d'utiliser des reflets-reformulations et des focalisations, et de choisir laquelle de ces deux interventions est la plus appropriée dans les circonstances.

Chacun des deux partenaires choisit un des sujets suggérés ci-dessous et y réfléchit en silence durant quelques minutes (on peut choisir le même sujet si on le désire).

Le premier partenaire s'exprime ensuite durant environ cinq minutes, pendant que celui qui l'écoute utilise le reflet, la reformulation et la focalisation, ainsi que d'autres types d'outils au besoin.

On fait ensuite un retour sur l'expérience, et on essaie d'identifier les interventions de l'écoutant et d'en établir la pertinence. On inverse ensuite les rôles.

Des sujets suggérés

1. Les plaisirs et les frustrations que j'ai éprouvés lors de mes dernières vacances.

2. Une décision importante que j'ai prise un jour.

3. Deux choses que j'apprécie et deux choses que j'apprécie moins chez mon conjoint, mon copain ou mon meilleur ami.

4. Une habitude familiale que j'apprécie particulièrement.

5. Une déception que j'ai éprouvée récemment.

6. Deux choses que j'apprécie et deux choses que j'aime moins dans mon travail.

7. Ce que je trouve le plus difficile dans ce cours, et ce que ces difficultés me disent sur moi.

Chapitre 8

La confrontation

L'objectif du présent chapitre :

- Savoir utiliser la confrontation pour inviter l'aidé à se remettre en question :
  - dans sa façon de percevoir les sentiments qui l'habitent ;
  - dans sa façon de comprendre son problème ;
  - quant aux moyens qu'il entend prendre pour le régler.

L e langage courant associe confrontation et affrontement. Toutefois, dans la relation d'aide, le fait de confronter est tout le contraire d'un affrontement. Le terme *confronter* doit être pris ici dans son sens premier, qui est de mettre en présence deux versions ou deux perceptions d'un même fait, dans le but de les comparer et de retenir la plus valide.

L'aidé a deux besoins principaux. D'abord, il a besoin de s'exprimer, d'être entendu et compris. Ensuite, il a besoin de modifier ses façons de voir et de faire. Bref, il a à la fois besoin d'être accueilli tel qu'il est et besoin d'être mis au défi de changer (Bohart, Greenberg et autres, 1997, p. 433).

C'est pourquoi certains thérapeutes invitent les aidants à *confronter systématiquement l'aidé* à son potentiel et à ses ressources, et à prendre conscience des choix qu'il fait ou qu'il omet de faire et qui ont pour effet de le maintenir dans son problème (Miars, 2002, p. 222).

Ces confrontations ne visent pas à embêter l'aidé, mais à lui donner du pouvoir sur sa vie en l'invitant à modifier le regard qu'il porte sur lui-même et sur son vécu, ce qui rejoint la notion de réappropriation du pouvoir (*empowerment*) que l'on a vue au chapitre 4.

Le dialogue suivant illustre cet aspect. De retour à la maison pour le souper, une jeune fille stressée bouscule tout sur son passage. Elle décide de faire un gâteau, répand les ingrédients sur le comptoir et se met en colère contre le batteur électrique.

La mère	— Tu as eu une dure journée.
La fille	— Je ne veux pas en parler.
La mère	— Tu aimes mieux en parler au batteur...

Quelques minutes plus tard, la fille raconte à sa mère ce qui ne va pas dans ses deux emplois, dans son équipe de volleyball et dans ses études, où elle est déçue de ses notes.

La mère	— Je trouve que tu te donnes de gros défis.
La fille	— Puis, cette conne qui vient me dire que ce n'est pas normal d'être fatiguée ! Je voudrais bien la voir à ma place.
La mère	— Tu es fâchée contre elle, mais tu étais déjà de mauvaise humeur ce matin, avant de partir.
La fille	(*Silence.*)

La mère	— Tu sais, je trouve que tu en mènes pas mal large depuis quelque temps : études, travail, copain...
La fille	(*Elle se met à pleurer.*) — Oui. Je suis fatiguée. Je cours tout le temps.
La mère	— Disons que ton horaire est un peu chargé. Y aurait-il moyen que tu l'allèges un peu ? (*La discussion s'engage sur ce sujet.*)

Dans cette relation d'aide spontanée, la mère montre de l'empathie en se faisant attentive au vécu de sa fille (« Tu as eu une dure journée ») et en demeurant centrée sur elle alors qu'elle aurait raison d'exprimer son impatience ou ses limites face au comportement de cette dernière. Mais, à quatre reprises, elle fait aussi intervenir sa propre perception de la situation, pour aider sa fille à porter un regard différent sur son vécu et à modifier éventuellement sa façon d'organiser sa vie.

« Je trouve que tu te donnes de gros défis. »

« Tu étais déjà de mauvaise humeur ce matin. »

« Je trouve que tu en mènes pas mal large depuis quelque temps : études, travail, copain... »

« Disons que ton horaire est un peu chargé. »

On pourrait penser que la confrontation mine la compétence de l'aidé en lui laissant entendre qu'il n'est pas capable de gérer sa vie par lui-même. Or, c'est plutôt l'inverse qui se produit : en le confrontant à de nouvelles perspectives, l'aidant communique à l'aidé le message qu'il est capable de prises de conscience et qu'il peut se mobiliser pour changer.

Cela se vérifie ici par la focalisation de la mère (« Y aurait-il moyen que tu allèges un peu ton horaire ? »), qui permet à la fille d'explorer cette possibilité dans le reste de l'entretien.

De fait, dans une recherche portant sur les événements les plus marquants survenus au cours de leur relation d'aide, ce sont les confrontations qu'un groupe d'aidés a retenues comme étant de loin les interventions les plus stimulantes (Wilcox-Matthew et autres, 1997, p. 285).

Un autre auteur observe aussi que les aidés sont plus portés à faire valoir les interventions qu'ils perçoivent non seulement comme pertinentes mais aussi comme « légèrement discordantes par rapport à leur façon de se voir et de voir leur situation » (Martin, 1994, p. 53-54).

Confronter quelqu'un, c'est le mettre en déséquilibre. Mais, paradoxalement, une bonne confrontation est toujours délicate et respectueuse. Par souci du bien-être de l'aidé, il ne faut pas mettre plus de pression sur lui que nécessaire.

De plus, il convient de recourir à la confrontation à un moment où l'on éprouve de l'empathie pour l'aidé. Si on se sent rebuté par ses attitudes ou ses comportements, on doit s'abstenir de le confronter, car cette intervention risquera alors d'être perçue, à juste titre, comme un blâme.

■ La confrontation ponctuelle

Dans certains cas, une seule confrontation suffit à amener l'aidé à surmonter sa résistance à se voir tel qu'il est ou à percevoir sa situation telle qu'elle est. Le dialogue suivant en fournit un exemple :

L'élève	— Marie, ma mère veut vendre la maison.
L'enseignante	— Ça ne fait pas ton affaire, hein ? (Reflet.)
L'élève	— Je m'en fous.
L'enseignante	— Je ne suis pas sûre de ça, moi. (Confrontation.)
L'élève	(*L'air triste.*) — Mon amie va déménager elle aussi. Ma mère veut qu'on aille habiter à Montréal.
L'enseignante	— Vous ne pourrez plus vous voir beaucoup. (Reflet.) Vas-tu pouvoir garder contact avec elle ? (Question fermée.)
L'élève	— Oui, ma mère m'a dit que mon amie va pouvoir venir chez moi et que je vais pouvoir aller chez elle.

Cette confrontation a aidé l'élève à s'ouvrir davantage à sa tristesse et à dédramatiser un peu sa perte. Ce bref entretien spontané, mais réalisé dans les règles de l'art, a ainsi aidé cette petite fille à s'adapter à la situation.

■ La confrontation comme art de surprendre

La confrontation est particulièrement efficace lorsqu'elle surprend l'aidé, souvent avec une pointe d'humour. D'habitude, cela a pour effet non seulement de l'amener à voir son problème sous un regard nouveau, mais aussi d'augmenter la complicité entre lui et l'aidant.

Reprenons comme exemple le dialogue entre la tante et la nièce que nous avons vu au début du chapitre 3.

La tante	— Depuis que ton oncle a pris sa retraite, je l'ai toujours sur les talons à la maison. Moi qui pensais qu'on serait bien tous les deux...
La nièce	— Tu as l'air un peu déçue.
La tante	— Oui. Et en plus, lui me dit qu'il ne s'est jamais senti aussi bien. Quant à moi, je ne sors presque plus.
La nièce	— Tes visites à la bibliothèque et tes après-midi de tricot, tu as laissé tomber ça? Tu as pris ta retraite toi aussi? (Confrontation.)
La tante	(*Elle jette un regard surpris et garde le silence.*)

Un peu plus loin dans l'entretien, l'aidée en arrive à la conclusion suivante:

La tante	— Il va falloir que je me décide (à parler à son conjoint). Je suis trop jeune pour prendre ma retraite. J'ai le droit de continuer d'avoir mes activités.

Dans l'introduction, je disais qu'un bon aidant fait *bouger quelque chose* dans le champ perceptuel de l'aidé. Nous en avons un bon exemple ici et dans ce court entretien, la confrontation représente un point tournant à cet égard.

Ce ne sont toutefois pas toutes les situations qui se prêtent à l'humour. En faisant de l'humour au mauvais moment ou à mauvais escient, on peut donner l'impression de banaliser le problème de l'aidé. En cas de doute sur l'impact présumé d'un tel type d'intervention, il est donc préférable de s'abstenir.

■ La confrontation comme pression constante

Certaines situations particulières requièrent un recours plus systématique à la confrontation, de manière à exercer une pression constante sur l'aidé jusqu'à ce qu'il se laisse rejoindre par son émotion, par son problème, ou par tout autre élément auquel il résiste. Illustrons cela au moyen d'un entretien réalisé avec un homme âgé qui a de la difficulté à accepter l'idée que sa conjointe soit hospitalisée en permanence.

L'infirmière	— J'aimerais vous parler quelques minutes de votre femme. Ce n'est pas facile pour vous de la voir aussi malade. (Reflet.)
Le conjoint	— Non, mais ça va passer et je vais la ramener à la maison.
L'infirmière	— Vous pensez qu'elle va marcher de nouveau ? (Confrontation.)
Le conjoint	— Oui.
L'infirmière	— Est-ce que les médecins vous ont parlé ? (Confrontation.)
Le conjoint	— Oui, mais ils peuvent se tromper. Ça s'est déjà vu.
L'infirmière	— C'est vrai, mais j'ai rencontré votre femme. Elle n'a pas l'air aussi confiante que vous. Elle se tient très peu sur ses jambes. (Confrontation.)
Le conjoint	— Oui, mais à force d'exercices...
L'infirmière	— Vous pensez qu'à force d'exercices... (Confrontation.)
Le conjoint	— J'essaie d'y croire. C'est vrai qu'elle se décourage vite.
L'infirmière	— D'après vous, est-ce qu'il y a une raison à ça ? (Confrontation.)
Le conjoint	— Je lui en demande trop. Elle ne peut pas faire plus, et puis elle ne veut pas me décevoir. (*Il pleure.*)
L'infirmière	— Ce n'est vraiment pas facile à accepter. Ça vous fait beaucoup de peine... (Reflet et soutien.)
Le conjoint	— Je ne pourrai pas m'occuper d'elle à la maison, je suis trop malade moi aussi.
L'infirmière	— Parlez-en avec elle. Ensuite, on en reparlera ensemble. (Nous verrons plus loin qu'il s'agit ici d'un contrôle et d'un soutien.)

Dans cet entretien touchant, l'aidante fait preuve de délicatesse et de tact. Mais en même temps, elle maintient une pression constante sur l'aidé pour qu'il surmonte ses résistances bien légitimes à se séparer de la femme de sa vie. Cet homme vit une situation de crise et il a besoin d'être aidé à se situer rapidement face à la réalité, quitte à s'exprimer plus longuement par la suite sur la façon de s'y adapter. Nous reviendrons sur l'intervention de crise au chapitre 14.

L'infirmière répond donc bien à deux besoins. Dans le peu de temps dont elle dispose, elle obtient à l'aide de la confrontation des résultats qu'elle n'aurait pas obtenus en utilisant seulement des reflets et des focalisations.

▪ Quand et comment confronter ?

De nombreuses circonstances permettent d'inciter l'aidé à se remettre en question en le mettant légèrement en déséquilibre. Nous en distinguerons quatre, que nous illustrerons par de brefs exemples qui montreront aussi qu'il y a plusieurs façons de formuler une confrontation.

▪ Première situation

L'aidé n'est pas conscient d'un aspect de son vécu (sentiment, besoin, résistance…) ou il hésite à nommer ce vécu.

Imaginons le cas de quelqu'un qui est porté à nier le fait qu'il ait été blessé. L'aidant pourra lui dire : « Tu dis que ça ne t'a pas dérangé, mais moi j'ai plutôt l'impression que, d'une certaine façon, ça t'a fait quelque chose… » Ou encore : « Tu dis que tu veux rompre avec ton amie, et en même temps, c'est toujours toi qui la rappelles. Comment expliques-tu ça ? »

▪ Deuxième situation

L'aidé entretient une croyance qui lui cause des ennuis et qu'il remettrait probablement en question si on attirait son attention sur elle.

Dans l'exemple de la tante et de la nièce que l'on a vu auparavant, l'aidée se prive de ses activités préférées pour tenir compagnie à son conjoint nouvellement retraité, probablement à cause de la croyance qu'une femme doit toujours être aux côtés de son mari. Sa nièce lui dit : « Tu as pris ta retraite toi aussi… » Mais elle aurait pu dire : « Tu te sens un peu obligée d'être toujours à sa disposition… »

▪ Troisième situation

L'aidé n'établit pas de lien entre deux choses qui ont pourtant de bonnes chances d'être reliées.

Voici comment l'aidant pourrait intervenir : « Tu dis que toutes les femmes sont des salopes. Est-ce qu'il n'y aurait pas un lien entre ces critiques et le fait que ta femme t'a quitté récemment ? »

■ Quatrième situation

L'aidé sait ce qu'il doit faire, mais il est réticent à passer à l'action.

S'agissant, par exemple, de l'urgence de prendre un rendez-vous, l'aidant peut dire : « Alors, ce rendez-vous avec votre médecin, quand prévoyez-vous téléphoner pour le prendre ? »

■ Le blâme et l'apparence de blâme

Ce dernier exemple fournit l'occasion de préciser qu'il faut non seulement éviter de blâmer l'aidé, mais aussi éviter que celui-ci *se sente* blâmé. Voici à ce propos une variante malencontreuse de cette dernière confrontation : « Alors, ce rendez-vous avec votre médecin, quand allez-vous vous décider à le prendre ? »

Dans le langage courant, la formule « Quand vas-tu te décider à... ? » comporte souvent un reproche au moins voilé. Mieux vaut donc l'éviter.

Avec la pratique, la décision de recourir à la confrontation vient naturellement à l'esprit, et la formulation se présente elle aussi spontanément. Mais on a toujours intérêt à formuler mentalement son intervention avant de passer à l'action. Il faut aussi varier ses interventions en faisant normalement prédominer les silences, les reflets et les focalisations, car l'usage excessif de la confrontation risque d'amener l'aidé à se sentir atteint dans son intégrité (Scaturo, 2005, p. 51).

■ La confrontation et l'alliance thérapeutique

Nous examinerons le concept d'alliance thérapeutique au chapitre 10. Pour l'instant, parlons simplement de la complicité qui doit exister entre l'aidant et l'aidé pour que ce dernier se sente motivé à s'impliquer dans l'exploration de son problème. En principe, l'aidant doit veiller à bâtir cette complicité avant de confronter l'aidé. Mais ce principe n'est pas absolu, et certains aidants obtiennent de bons résultats en utilisant la confrontation très tôt dans l'entretien. En effet, une confrontation amicale et dosée envoie le message suivant : « J'ai suffisamment confiance en tes ressources et je prends suffisamment au sérieux la démarche dans laquelle tu t'engages avec moi pour ne rien laisser passer. » Et de fait, l'aidé voit habituellement dans cette attitude une marque de respect à son endroit en plus d'une stimulation à travailler fort durant l'entretien.

Même si elle survient tôt dans l'entrevue, une confrontation menée avec habileté et respect peut donc parfois contribuer à bâtir la relation. La section suivante nous amènera toutefois à nuancer cette affirmation.

■ L'apprentissage de la confrontation

La confrontation est un outil qui est parfois difficile à reconnaître par des débutants, car c'est souvent par un reflet aiguisé ou une focalisation pointue que l'aidant confronte l'aidé (donc qu'il le met légèrement en déséquilibre). Revenons à la nièce qui disait à la tante : « Tu as pris ta retraite toi aussi... » et qui aurait pu dire : « Tu te sens un peu obligée d'être toujours à sa disposition... », ce qui aurait probablement mis la tante en déséquilibre : « Bien, oui... En fait..., peut-être que c'est moi qui m'oblige. Peut-être qu'il ne serait pas malheureux si je le laissais seul pendant quelques heures... » Dans ce cas, il se serait agi d'une confrontation à l'aide d'un reflet-reformulation bien exprimé et particulièrement pointu.

Dans l'extrait de l'entretien présenté au chapitre 3, nous avons vu que la nièce a aussi confronté sa tante à l'aide de deux focalisations consécutives :

La nièce	— Comment te sentirais-tu de le laisser seul de temps en temps ?
La tante	— Je ne me sentirais pas correcte.
La nièce	— Dans quel sens ?
La tante	— Je me sentirais coupable...

La nièce aurait pu maintenir la pression avec une troisième focalisation : « Coupable de quoi ? »

On peut en conclure que les aidants qui s'initient à leur métier peuvent s'employer à acquérir d'abord les autres habiletés majeures (écoute empathique incluant de nombreux silences, formulation du problème, reflet et focalisation) et qu'ils en viendront naturellement à faire de bonnes confrontations, en temps et lieu.

Des questions à se poser avant d'utiliser la confrontation

1. L'aidé a-t-il de la difficulté à voir les choses telles qu'elles sont ou manifeste-t-il un comportement ou une façon de voir qui a pour effet de lui compliquer la vie ou de restreindre sa marge de manœuvre ?

2. Si oui, une focalisation habilement orientée pourrait-elle lui permettre de surmonter sa résistance ?

3. Est-ce que j'éprouve en ce moment de l'empathie pour lui, ou suis-je rebuté par quelque chose comme son émotivité, son inertie, sa façade, ses contradictions... ?

4. Est-ce que, durant les dernières minutes, j'ai eu recours à quelques reflets ? (Un reflet réussi est une bonne indication de la compréhension empathique.)

5. La formulation qui me vient à l'esprit pour la confrontation fait-elle preuve de délicatesse, ou pourrait-elle être interprétée comme un blâme ?

Exercice Un défi à M. Martin

Une femme se rend dans un centre de santé pour obtenir de l'information pour son père âgé qu'elle héberge chez elle depuis qu'il est veuf. Elle dit qu'il empoisonne le climat familial et qu'elle songe à faire une demande d'hébergement, même si cela risque de *le tuer*. Marie-Lise, une travailleuse sociale, va rencontrer M. Martin. Elle l'interroge sur son passé et celui-ci lui répond assez spontanément. Puis elle en vient au fait.

Marie-Lise (1)   — Monsieur Martin, il faut qu'on parle de votre fille. Vous savez qu'elle a fait appel à nous parce qu'elle se sent rendue au bout du rouleau avec vous.

M. Martin   *(Ne dit rien, visage fermé.)*

Marie-Lise (2)	— Est-ce que ça vous surprend ce que je vous dis ?
M. Martin	— Ma fille est capricieuse, elle veut tout mener.
Marie-Lise (3)	— Vous avez l'impression qu'elle exagère le problème ?
M. Martin	(*Garde le silence.*)
Marie-Lise (4)	— Votre fille dit que vous critiquez tout : la nourriture, la façon dont elle élève sa fille, ses achats, et même les émissions qu'elle regarde. Avez-vous l'impression qu'elle se plaint pour rien ?
M. Martin	(*Après un silence.*) — Aujourd'hui, le monde veut tout avoir et les enfants sont élevés n'importe comment.
Marie-Lise (5)	— Monsieur Martin, je vais être franche avec vous. Votre fille et votre gendre songent à faire une demande d'hébergement pour vous si l'atmosphère ne change pas rapidement à la maison. J'ai besoin que vous m'aidiez à voir comment on pourrait faire ça.
M. Martin	(*Surpris, long silence, l'air accablé.*) — Je ne pensais pas qu'ils étaient prêts à me faire ça.

Indiquez le numéro des interventions qui représentent des confrontations et évaluez-en brièvement la pertinence.

Cet entretien vous semble-t-il réussi ? Justifiez votre réponse en une phrase ou deux.

Chapitre 9

La question fermée

Les objectifs du présent chapitre :

- examiner la nature de la question fermée et la façon dont elle se distingue de la question ouverte ;
- explorer ses usages ;
- relever ses inconvénients possibles et la façon de les éviter.

L a question fermée typique exige comme réponse un oui ou un non. On dit qu'elle est fermée parce qu'elle n'invite pas le sujet à apporter des précisions. En voici un exemple:

« Est-ce que votre mari est d'accord ? »

La question fermée se distingue donc de la question ouverte (la forme majeure de la focalisation) qui, elle, demande de clarifier sa réponse: «Comment votre mari réagit-il à cette idée ? »

Dans l'exemple suivant, une femme divorcée demande à son fils insatisfait de sa relation avec son père: « Est-ce que ça améliorerait ta vie si tu avais une bonne relation avec lui ? » On pourrait avantageusement remplacer cette question fermée par la question ouverte suivante: « Comment aimerais-tu que ça se passe entre vous deux ? »

Par extension, on considère comme fermées les questions qui n'appellent qu'une brève information objective:

- « Combien d'enfants avez-vous ? »
- « Quel âge a le plus jeune ? »
- « Où habitez-vous ? »

Bref, une question est fermée quand elle amène l'aidé à répondre par oui ou non ou à se limiter à une brève réponse objective. Inversement, une question est ouverte quand elle l'invite à explorer son univers personnel fait de sentiments, de perceptions, de difficultés, de questionnements et de projets.

■ Trois usages de la question fermée

Dans la conversation courante, une foule de raisons nous amènent à poser des questions fermées, que ce soit l'utilité immédiate, la curiosité, le désir d'amorcer ou d'entretenir la conversation, ou de simples habitudes. En voici quelques exemples:

- « Veux-tu savoir ce qui m'arrive ? »
- « Tu me suis ? »
- « Est-ce que ça te tente de voir un film ? »
- « Veux-tu un autre café ? »

Dans le contexte de la relation d'aide, la question fermée sert surtout aux trois usages principaux suivants:

▪ Obtenir de l'information

Une question fermée permet souvent à l'aidant d'obtenir de l'information qui l'aidera à se faire une meilleure idée de la situation de l'aidé, et ainsi de mieux comprendre son univers subjectif. Par exemple :

- « Ça fait longtemps que votre mari est sans travail ? »
- « Tu dis que tu penses à un avortement. À combien de semaines de grossesse es-tu rendue ? »

▪ Favoriser l'expression ou la compréhension

D'habitude, l'aidé décrit spontanément le contexte de son problème. Il lui arrive toutefois d'omettre des détails importants qui pourraient susciter de nouvelles réactions de sa part, voire une nouvelle prise de conscience. Une question fermée aura alors son utilité. Par exemple :

- « Quand votre père est mort, où étiez-vous et qui vous a appris la nouvelle ? »
- « Est-ce que c'était votre premier accrochage avec votre patron ? »
- « Vous souvenez-vous exactement des mots qu'il a utilisés ? »

De telles questions permettront à l'aidé de mieux se dire et partant, de mieux se comprendre et se faire comprendre.

▪ Favoriser l'exploration des solutions

Certaines questions fermées peuvent également aider à élaborer des scénarios de solution. Par exemple :

- « Tu aimerais avoir une bonne explication avec ton fils. Est-ce qu'il y a des moments où vous êtes seuls tous les deux ? »
- « Donc, tu veux quitter ton emploi le plus tôt possible même si tu n'as rien d'autre en vue pour l'instant. Pendant combien de temps peux-tu vivre de tes économies ? »

▪ Des inconvénients possibles de la question fermée

L'usage non judicieux et répété de la question fermée risque de situer l'aidé dans un rôle passif où il se limite à répondre aux questions, comme dans le dialogue suivant :

L'aidant	— Avez-vous peur que votre fille se décourage?
L'aidé	— Oui, des fois.
L'aidant	— Elle est portée à se décourager?
L'aidé	— Oui, elle a déjà fait une dépression.

Poser une série de questions fermées risque d'imprimer à l'entretien un style *questions-réponses*. Cela est propre à amener l'aidé à percevoir l'aidant comme un expert qui a le contrôle de l'entretien, voire la responsabilité de la solution.

En revanche, voici l'impact d'une focalisation:

| L'aidant | — Vous semblez avoir peur que votre fille se décourage. Qu'est-ce qui vous cause cette peur? |
| L'aidé | — Elle a déjà fait une dépression, et des fois, j'ai peur que ça revienne. Ces temps-ci, elle a des difficultés dans ses études, et je trouve qu'elle est portée à s'isoler. Elle s'enferme dans sa chambre comme si elle ne voulait pas que je lui parle... |

Par ailleurs, puisque beaucoup de questions fermées portent sur des données objectives, un usage trop abondant de cet outil risque de laisser dans l'ombre l'univers subjectif de l'aidé. On se retrouve alors dans un cercle vicieux: plus on pose des questions fermées, moins on comprend l'aidé, et moins on le comprend, plus on est porté à lui poser des questions pour continuer à le faire parler.

Lorsque cela se produit, on a avantage à faire silence et à se poser les questions suivantes:

«Quelles sont les émotions ou les pensées qui habitent l'aidé en ce moment? Qu'est-ce qu'il exprime de façon non verbale? Qu'est-ce qu'il essaie de communiquer?»

Cette interrogation permettra habituellement de recourir au reflet et de recentrer ainsi l'aidé sur son vécu.

■ Quelques nuances à apporter

Il arrive toutefois qu'une question fermée stimule l'exploration de l'aidé, comme dans le dialogue suivant:

L'aidante	— Est-ce que ça vous inquiète que votre fille s'isole dans sa chambre ?
L'aidé	— Oui, parce que quand elle le fait, ça veut généralement dire qu'elle a des problèmes qu'elle garde pour elle et qui risquent de s'amplifier. Elle ne rappelle même plus ses amies. Encore hier, en sortant de table, elle m'a dit...

Par contre, on peut imaginer qu'avec un aidé différent, même une question ouverte aurait eu moins d'impact que la question fermée utilisée ci-dessus :

L'aidante	— Qu'est-ce qui vous inquiète dans le fait que votre fille s'isole dans sa chambre ?
L'aidé	— Bien, ça veut dire qu'elle est déprimée. (*Silence*.)

Il faut donc éviter de penser que tout est dans la question. Les questions ouvertes et fermées ne constituent pas d'ailleurs des catégories étanches. En effet, bien souvent, ce qui est déterminant dans la réponse, c'est la façon dont l'aidé décode l'intention de celui qui pose la question plutôt que sa simple formulation. Prenons un exemple :

– Qu'est-ce que tu fais cet après-midi ?

– Je pense que je vais faire mon ménage.

Cette réponse nous laisse présumer que l'aidé juge la question qui lui est posée un peu anodine, sans plus. Mais il pourrait aussi répondre : « Je pense que je vais faire mon ménage parce que j'attends mon frère et ma belle-sœur et la dernière fois, j'ai eu honte. Mais ça, c'est une autre histoire... Il faut dire que ça me tenterait bien plus de partir en vélo pour l'après-midi, avec ce que je vis comme tension avec Martine ces temps-ci... »

Ici, on peut présumer que l'aidé estime que son interlocuteur lui ouvre un espace pour se livrer, et qu'il accepte cette offre qui lui est faite. Bref, il y a d'autres facteurs en jeu que la simple formulation de la question (Hargie et Dickson, 2004, p. 127).

Dans bien des cas aussi, la formulation de la question comme telle importe moins que le point qu'elle soulève. Examinons la question suivante : « Est-ce que c'est la première aventure de votre conjoint ? »

Techniquement, il s'agit d'une question fermée, mais il serait étonnant que l'aidée limite sa réponse à un oui ou à un non. En pratique, une telle intervention équivaut en fait à une focalisation qui signifie : « Parlez-moi de la fidélité de votre conjoint. »

Donc, dans certains cas, qu'elle soit ouverte ou fermée, la question aura un impact identique sur l'exploration de l'aidé. Il arrive aussi que la question ouverte soit autant hors de propos que la question fermée.

Dans ce dernier exemple, l'aidée est peut-être en train de constater qu'elle a atteint le point de rupture dans sa relation avec son conjoint, et il se peut que l'infidélité de celui-ci (que ce soit la première ou la plus récente) ne soit que la goutte d'eau qui fait déborder le vase. Dans un tel cas, il est alors plus pertinent de se centrer sur le sentiment sous-jacent, soit la lassitude ou la colère, le désir de rompre avec le conjoint, etc.

L'enjeu reste donc de rejoindre l'aidé là où il se trouve à ce moment précis de l'entretien, d'accueillir son vécu et de stimuler son exploration en variant les interventions : silence, reflet, focalisation, question fermée, etc.

<table>
<tr><td>En bref</td><td>La question fermée met habituellement en lumière une donnée objective qui permettra à l'aidé ou à l'aidant de mieux comprendre ce qui se passe. Mais ce type d'intervention peut aussi porter sur le vécu ou les perceptions de l'aidé.

Cependant, la question fermée est un outil d'appoint dont il ne faut pas abuser, pour éviter de transformer l'entretien en un interrogatoire qui situerait l'aidé dans un rôle passif face à l'exploration de son problème. En règle générale, mieux vaut privilégier les outils majeurs, soit l'écoute empathique et le silence, le reflet et la focalisation.</td></tr>
</table>

Des questions à se poser avant d'utiliser la question fermée

1. La question que je m'apprête à poser est-elle motivée par la simple curiosité, ou encore par le seul fait d'avoir quelque chose à dire ? (Si oui, mieux vaut observer un bref silence pour identifier le sentiment vécu par l'aidé et y aller ensuite d'un reflet.)

2. L'information sollicitée me permettra-t-elle de mieux comprendre l'aidé ou lui permettra-t-elle de mieux se comprendre lui-même ?

3. La question que j'ai en tête pourrait-elle être avantageusement remplacée par un silence, un reflet ou une question ouverte qui laisseraient à l'aidé l'initiative de son exploration ?

Exercice | Le mariage de Mme Malette

Dans le cadre d'une formation sur la relecture de vie (où le sujet est invité à revenir sur l'histoire de sa vie), un étudiant demande à une dame âgée de partager un souvenir avec lui.

Mme Malette	*(Après un moment de réflexion.)* — Je vais te parler de mon mariage, de mon fameux mariage. Il a été célébré en même temps que celui de ma sœur et de plusieurs autres...
Stéphane (1)	— Vous vous êtes mariée en même temps que votre sœur ?
Mme Malette	— Oui, après une courte fréquentation, pour ne pas rester vieille fille. C'était la fête de tous les Malette du Québec. Ils avaient organisé des mariages collectifs.
Stéphane (2)	— Vous avez donc eu de brèves fréquentations ?
Mme Malette	— Dans ce temps-là, on ne pouvait pas se voir tous les soirs. Les mardis et les jeudis, c'était supposé être assez pour connaître notre partenaire. Puis, quand on avait vingt-cinq ans, on était considérée comme une vieille fille... Aujourd'hui, c'est bien différent. Vous autres les jeunes, vous faites votre vie comme vous voulez...
Stéphane (3)	— Avez-vous travaillé avant votre mariage ?
Mme Malette	— Oh oui ! Mais après, il fallait que la femme reste à la maison. Mon mari n'a jamais voulu que je travaille à l'extérieur.
Stéphane (4)	— À quel âge vous êtes-vous mariée ?

Identifiez d'abord les quatre interventions de l'aidant.

Résumez ensuite en une phrase le message de fond de l'aidée qui revient dans chacune de ses interventions.

Ce message a-t-il été entendu ? Sinon, formulez d'une meilleure façon les trois premières interventions de Stéphane.

Chapitre 10

Le soutien

Les objectifs du présent chapitre :

- examiner la nature du soutien en rapport avec le concept d'alliance thérapeutique ;
- examiner les diverses façons de traduire le soutien dans l'entretien ;
- établir les distinctions entre le soutien implicite et le soutien explicite ainsi qu'entre le soutien ponctuel et le soutien systématique.

L e soutien consiste à appuyer l'aidé dans ses efforts pour retrouver son équilibre au moment où il est aux prises avec des difficultés. Cet appui passe d'abord et avant tout par la complicité que l'aidant réussit à établir avec l'aidé. C'est pourquoi nous examinerons de près le concept d'alliance thérapeutique, synonyme de cette complicité.

■ L'alliance thérapeutique

La relation d'aide s'établit quand une personne décide ou accepte de parler de son problème à un aidant et que celui-ci accepte de faire de son mieux pour l'écouter et réagir à ce qu'elle exprime.

On appelle *alliance thérapeutique* ce consentement mutuel ainsi que le lien affectif qui va s'établir entre l'aidant et l'aidé à mesure que ceux-ci vont interagir. Ce phénomène est central, car des thérapeutes observent que, «indépendamment de l'orientation théorique des aidants, l'alliance s'avère un prédicteur constant et puissant du résultat de la démarche thérapeutique» (Graybar et Leonard, 2005, p. 2).

Dans la relation d'aide ponctuelle, qui survient au fil du quotidien, l'alliance thérapeutique est réduite à sa plus simple expression. Il suffit qu'une personne qui a un problème perçoive quelqu'un d'autre comme un interlocuteur crédible et que, sur la base de cette perception, cet aidé potentiel commence à se livrer à son aidant potentiel. Voilà la relation d'aide engagée.

Cette crédibilité de l'aidant va subir le test de la réalité dans les premières minutes, voire les premières secondes de l'entretien. Est-il à la hauteur de la confiance que l'aidé lui témoigne en prenant le risque de lui confier son problème? L'aidé va trouver une première réponse à sa question dans le non-verbal de l'aidant. Celui-ci indique-t-il par sa posture qu'il est centré sur l'aidé: a-t-il le tronc légèrement incliné vers lui ou est-il au contraire enfoncé dans son fauteuil, les bras croisés, comme s'il était prêt à faire une sieste? Établit-il un bon contact visuel avec l'aidé, manifestant par là qu'il est disposé à pénétrer dans son champ subjectif ou regarde-t-il du coin de l'œil son agenda ou d'autres papiers sur son bureau? (Dans la culture nord-américaine, regarder quelqu'un dans les yeux, c'est lui dire qu'on le perçoit comme une personne à part entière, comme une personne qui a de la valeur à nos yeux.)

Une fois ce premier test passé, la crédibilité va par la suite reposer sur les interventions de l'aidant. Celui-ci intervient-il souvent et longuement, bousculant l'aidé et lui imposant son expertise et ses solutions, ou encore intervient-il au hasard et d'une façon improvisée ? Au contraire, permet-il à l'aidé de se livrer et de progresser à son rythme, intervenant peu, brièvement et d'une façon délicate et pertinente ?

■ L'alliance thérapeutique et l'attachement interpersonnel

Consentement mutuel, crédibilité de l'aidant et lien entre l'aidant et l'aidé, voilà donc les trois ingrédients de l'alliance thérapeutique. Le lien nous met sur la piste du phénomène plus large de l'attachement entre deux personnes (Gelso, 2000 ; Berlincioni et Barbieri, 2004).

C'est ici qu'intervient John Bowlby, un chercheur qui a consacré sa carrière à étudier le développement du lien d'attachement (Bowlby, 1988). Une de ses idées centrales est que le lien entre l'enfant et son parent est de nature à lui apporter la sécurité requise pour lui permettre d'assumer la suite de son développement, avec les risques que cela comporte. On voit tout de suite l'application de cette idée à la relation d'aide : le lien de confiance que l'aidé établit avec l'aidant va lui assurer la sécurité nécessaire pour apaiser une partie de son stress, lui permettre d'oser explorer son problème plus en profondeur et d'assumer par la suite les risques d'un changement.

Comme le jeune enfant apeuré ou secoué par une chute qui court vers sa mère ou son père, l'adulte qui vit un stress a lui aussi le réflexe de se confier à quelqu'un qui saura l'accueillir, l'écouter et le soutenir. Et comme la sécurité du lien parental permet à l'enfant de se lancer à la découverte de son environnement physique et social, le lien avec l'aidant va apporter à l'aidé la sécurité requise pour assumer l'exploration de son vécu et la mise en place de nouvelles façons de penser et d'agir (pour une présentation succincte de la pensée de Bowlby, voir Hétu, 1994, p. 160-161).

■ Le soutien comme attitude et comme intervention

La principale façon de manifester du soutien à l'aidé consiste donc à l'accueillir dans tout ce qu'il est (écoute et compréhension empathiques) et d'entreprendre de l'accompagner efficacement et respectueusement dans l'exploration, la compréhension et la solution de son problème. Ce soutien fondamental, cette attitude d'accueil, de respect et de complicité, se traduira par toutes les interventions de l'aidant, ce qui diminuera le besoin de recourir à des soutiens ou à des encouragements verbaux explicites.

Les aidants en formation sont souvent portés à recourir au soutien explicite, surtout sous la forme d'encouragements verbaux : « Ne te décourage pas, ce n'est pas si grave que ça, tout va s'arranger avec le temps… » Leur but est d'amener l'aidé à retrouver son équilibre le plus tôt possible, quitte à minimiser l'ampleur de son problème. Cela risque toutefois de provoquer chez l'aidé le sentiment de ne pas être pris au sérieux et de ne pas être compris dans sa détresse.

À certains moments, le fait d'offrir un soutien verbal vient même court-circuiter la démarche d'exploration de l'aidé. En voici un exemple :

Le patient	— Les infirmières sont très gentilles avec moi. Elles sont polies et patientes, tandis que moi… (*Il baisse la tête.*) Je suis impatient, je ne coopère pas, je suis un mauvais malade.
Le bénévole	— C'est vrai que, quand on est malade, on a souvent les émotions à fleur de peau. (Soutien.)
Le patient	— Oui, je suis exactement comme ça.
Le bénévole	— Vous savez, si les infirmières sont gentilles avec vous, c'est sans doute parce qu'elles s'aperçoivent que vous êtes une bonne personne. (Soutien.)
Le patient	(*Ému.*) — C'est vrai, je ne voyais pas ça comme ça. Ça me fait du bien ce que vous me dites.

Le premier soutien était approprié, surtout qu'il reflétait le vécu de l'aidé : « C'est vrai que, quand on est malade, on a souvent les émotions à fleur de peau. »

De plus, cette intervention permettait à l'aidé de continuer à explorer son sentiment d'être un mauvais malade. Cependant, le deuxième soutien risque d'avoir l'effet inverse, c'est-à-dire de désamorcer l'exploration. En disant : « […] les infirmières s'aperçoivent que vous êtes une bonne personne », on envoie le message suivant : « Vous n'avez pas à vous en faire avec vos réactions. »

Or, il se pourrait bien que le patient ait vécu des accrochages avec le personnel soignant et qu'il éprouve le besoin d'y revenir, ce qu'il risque de ne pas faire ici.

Pour éviter ce court-circuitage, l'aidant aurait dû s'abstenir de recourir à un deuxième soutien, et enchaîner avec une focalisation : « Quand vous dites que vous êtes un mauvais malade, pensez-vous à quelque chose en particulier ? »

À d'autres moments, le soutien verbal risque d'amener l'aidé à s'orienter rapidement vers une solution temporaire qui laissera son problème entier.

Il arrive également que l'aidant ébauche un scénario exagérément optimiste sans connaître vraiment la situation en cause. Voici l'exemple d'une adolescente qui parle du fait que ses parents s'attendent à ce qu'elle devienne comptable comme son père, alors qu'elle-même aimerait s'orienter vers la bureautique.

L'aidée	— Pourtant, mes parents ne sont pas snobs. Mais imaginez-moi en train de leur dire : « Vous savez, j'ai décidé d'être secrétaire spécialisée en bureautique. C'est là que je vais être heureuse et pas dans ces foutus chiffres. »
L'aidante	— Pourtant, c'est si simple de parler. Regarde comment tu me racontes ça.
L'aidée	— Pensez-vous qu'ils comprendraient ?
L'aidante	— J'ai l'impression que tu sous-estimes tes parents. Ils sont sans doute beaucoup plus ouverts que tu ne le penses.
L'aidée	— Peut-être qu'ils ne se sont jamais arrêtés à me voir dans un autre domaine. Pensez-vous qu'ils comprendraient si j'essayais de leur parler calmement ?
L'aidante	— J'en suis sûre.

Par sa première intervention, l'aidante tente de conforter l'aidée dans ses ressources, en lui montrant qu'elle est capable de bien s'exprimer. L'idée se justifie, mais la formulation est discutable : « C'est si simple de parler. » Car c'est une chose de s'exprimer avec un confident qui n'est pas impliqué dans un conflit, et c'en est une autre de tenir le même discours à ses parents quand on a des vues opposées sur un sujet important.

Dans ses deux interventions suivantes, l'aidante s'avance encore beaucoup en disant : « Ils sont sans doute beaucoup plus ouverts que tu ne le penses » et : « J'en suis sûre. » Or, à ce moment-là, rien ne permet de connaître le tempérament des parents ni de prédire leur réaction. Ces derniers pourraient effectivement se montrer ouverts et faire rapidement le deuil de leurs attentes. Mais, il se pourrait aussi que l'échange tourne à l'affrontement et que l'aidée en ressorte meurtrie.

L'aidante aurait donc fait preuve de prudence en formulant ses interventions comme suit : « Tu as l'air d'avoir une idée précise de l'orientation qui te conviendrait. » (Reflet.) « Et je trouve que tu es capable de t'exprimer clairement. » (Soutien.) « Si tu parlais comme ça à tes parents, comment penses-tu qu'ils réagiraient ? » (Question ouverte.)

De telles interventions seraient davantage susceptibles de favoriser l'exploration du problème que les simples soutiens formulés ci-dessus. C'est pourquoi il faut résister à la tentation de rassurer ou de consoler l'aidé à tout prix. Les cas présentés ci-dessus invitent donc à une grande retenue en matière de soutien verbal.

La question et le reflet comme formes de soutien implicite

Des outils examinés dans les chapitres précédents peuvent également constituer des soutiens. Par exemple, poser à l'aidé des questions (ouvertes ou fermées) sur son vécu, c'est vouloir en savoir davantage sur lui, et donc lui manifester qu'il est quelqu'un de valable, sans quoi on ne se donnerait pas cette peine.

Le reflet est aussi assimilable au soutien implicite. Un reflet réussi atteste qu'il y a eu une bonne écoute. Mais, il y a plus. Pour l'aidé, l'expérience d'être compris lui communique fortement l'impression que ses réactions et son comportement sont normaux. Sinon, comment l'aidant les aurait-il compris (Linehan, 1997, p. 365) ? De plus, par une telle écoute, l'aidant permet à l'aidé de continuer à s'exprimer.

Il s'ensuit que, dans la plupart des situations, de bons reflets éliminent le besoin de recourir à un soutien verbal explicite.

L'approbation

Certaines situations nécessitent de recourir à une forme de soutien plus explicite, en signifiant à l'aidé que sa réaction ou son comportement étaient justifiés dans les circonstances. Voici l'exemple d'une aidée âgée qui a dû se résoudre à placer en hébergement son conjoint en perte d'autonomie sérieuse, et qui se sent très coupable.

L'aidée	— C'est comme si je l'avais abandonné, lui qui a passé toute sa vie à s'occuper de moi.
L'aidant	— Je pense que vous n'aviez pas le choix. Vous avez pris la seule décision possible dans les circonstances, après avoir fait tout ce que vous pouviez pour votre mari pendant des années.
L'aidée	— Oui, c'est vrai que je n'étais plus capable de m'en occuper. Vous savez, à mon âge, c'est tout juste si je peux m'occuper de moi-même...

Ces approbations, très rares dans la relation d'aide, surviennent habituellement dans des moments de crise, comme ici.

◾ La formulation d'un scénario optimiste

Une autre forme de soutien verbal consiste à exprimer sa confiance dans la capacité qu'a l'aidé de résoudre ses problèmes et de faire face à la situation. Toutefois, ce faisant, on doit prendre garde de ne pas trop en dire. On pourra lui dire, par exemple: « Je sens que tu vis cela difficilement. Mais, en même temps, je sais que tu en as déjà vu d'autres et que tu vas réussir à t'en sortir une fois de plus... »

◾ Le soutien ponctuel et le soutien systématique

Le soutien explicite est un outil occasionnel que l'on utilise à un moment stratégique. Il y a toutefois des entretiens où l'aidant a recours au soutien d'une façon quasi systématique. La réflexion suivante d'un aidant occasionnel illustre ce type d'entretien:

« Ce n'est pas la première fois que Claudie partage avec moi ses difficultés. Chaque fois, je reste impuissant à l'aider vraiment, et je dois me contenter d'être à l'écoute et tenter de dédramatiser son problème. Je crois que ça lui apporte un soulagement à court terme, mais peu de bénéfices à long terme. »

Cet exemple s'applique à beaucoup de situations où l'aidé est aux prises avec une grave difficulté chronique comme un problème de toxicomanie, de dépression, d'anxiété, de désordre alimentaire, de solitude, de perte d'autonomie, etc. Lorsque l'aidé reçoit l'aide médicale ou psychiatrique dont il a besoin, on doit souvent accepter de se limiter à une relation de soutien, dans l'espoir d'aider la personne à vivre un peu plus sereinement son quotidien pénible.

De telles relations d'aide sont moins stimulantes pour l'aidant, car sa marge de manœuvre est réduite et il doit se contenter d'objectifs modestes pour ses interventions. L'aidant peut cependant éprouver la satisfaction de faire de son mieux pour accompagner une personne souffrante à porter le poids de son handicap.

<table>
<tr><td>En bref</td><td>Il existe bien des façons d'exprimer du soutien. Certaines, comme l'écoute empathique et le contact visuel sont des formes de soutien implicite et ne correspondent pas à une intervention spécifique. Le soutien peut aussi s'exprimer par d'autres moyens, notamment le reflet et la question (ouverte ou fermée). Enfin, on rencontre à l'occasion des situations où il convient d'apporter un soutien explicite par divers moyens, comme l'approbation, l'expression de sa confiance dans les ressources de l'aidé, la formulation d'un scénario optimiste de résolution de problème, etc.</td></tr>
</table>

Des questions à se poser avant d'utiliser le soutien

1. Mon écoute est-elle suffisamment attentive et active pour assurer un soutien non verbal à l'aidé?

2. L'aidé a-t-il besoin d'un soutien plus explicite ou puis-je continuer à privilégier le silence, le reflet et la question ouverte?

3. Le soutien que je m'apprête à formuler risque-t-il d'être perçu comme condescendant, ou est-il à la fois réaliste et de nature à amener l'aidé à se sentir compris et rassuré?

Mme Côté et ses chiens

Carole, une infirmière, rend visite à Mme Côté atteinte d'un cancer avancé. Un jour, celle-ci lui montre une photo de ses chiens.

Mme Côté — J'ai eu bien de la peine quand ils sont morts. Je n'avais pas d'amis, personne autour. (*Silence, visage triste.*) Je n'ai jamais eu de vrais amis.

Carole (1) — Je comprends pourquoi vous avez eu tant de peine à la mort de vos chiens.

Mme Côté — Cela fait quinze ans. Je m'en rappelle comme si c'était hier. Dans ce temps-là, je prenais soin de mon mari, qui a été aveugle pendant six ans. (*Silence.*) Je n'ai pas eu beaucoup de joie dans ma vie.

Carole (2) — Ça n'est jamais facile de s'occuper d'une personne aveugle.

Carole (3) — Est-ce que c'était un accident ?

Mme Côté — Non, il avait des cataractes et il n'a jamais voulu se faire opérer. (*Silence.*) Il était très exigeant pendant sa maladie. (*Silence.*) Je n'ai pas eu beaucoup de joie dans ma vie, c'est comme si j'avais eu une malédiction.

Identifiez chacune des trois interventions de Carole et évaluez-les brièvement.

Formulez trois solutions de rechange qui vous semblent plus pertinentes.

Chapitre 11

L'interprétation

Les objectifs du présent chapitre :

- présenter l'interprétation, un éclairage proposé à l'aidé pour lui permettre de mieux comprendre son problème ;
- examiner différentes formes d'interprétation ;
- voir comment celle-ci peut découler des connaissances en psychologie de l'aidant, de son expérience, de son sens de l'observation et de son intuition.

Alors que le reflet nomme ce que l'aidé a exprimé plus ou moins clairement, l'interprétation propose une signification possible de ce qui a été exprimé. Interpréter, c'est chercher à comprendre et à faire comprendre l'origine d'un sentiment ou la motivation d'un comportement.

Face à une personne qui pleure, on peut dire : « Ça te fait mal de penser à cela », ce qui est un reflet. Mais (si on dispose d'indices à cet effet, bien sûr), on peut dire : « Je pense que tu pleures pour ne pas te mettre en colère », ce qui constitue une interprétation.

Une personne contrariée qui affirme : « Je ne sais pas pourquoi je pleure », n'est sans doute pas triste. Il ne serait donc pas approprié de refléter un chagrin qu'elle n'éprouve pas. Mieux vaut alors recourir à la focalisation et lui demander : « Comment te sens-tu présentement ? » Cette question pourrait lui donner accès à sa frustration.

Mais, la personne pourrait aussi répondre : « Je ne sais pas. » C'est à ce moment qu'on peut recourir à l'interprétation en disant, par exemple : « Je pense que tu pleures pour cacher ta colère. » Ou mieux : « Se pourrait-il que tu pleures pour éviter de te mettre en colère ? »

En effet, l'interprétation est une hypothèse, comme le reflet, mais avec une plus grande marge d'erreur. L'aidant *pense* qu'il a perçu un sentiment (reflet) ou qu'il a compris quelque chose (interprétation). Il est donc plus prudent d'offrir l'interprétation sous une forme interrogative.

■ L'interprétation et la formulation du problème

L'interprétation ressemble à la formulation du problème, malgré qu'elle s'en distingue. Toutes deux correspondent à des hypothèses de l'aidant à l'écoute de l'aidé. Mais la formulation du problème est une opération englobante, tandis que l'interprétation se limite à un aspect du vécu de l'aidé.

En outre, l'outil que constitue la formulation du problème est normalement conçu pour un usage interne, c'est-à-dire pour guider l'aidant dans ses interventions, tandis que l'interprétation est un type d'intervention par lequel l'aidant communique sa compréhension d'un élément du vécu de l'aidé.

L'aidant ne doit toutefois pas se sentir obligé d'exprimer toutes les interprétations qui lui viennent à l'esprit. Par exemple, il peut penser :

« L'automobile que l'aidé vient d'acheter à sa fille de seize ans, c'est celle qu'il désirait lui-même et qu'on lui a refusée quand il avait son âge. » Ou : « Je pense qu'il lui a offert cette automobile parce qu'il se sent coupable de ne jamais être à la maison. » Ou encore : « Il lui a donné cette auto parce que le voisin avec lequel il se sent en compétition vient lui-même d'en offrir une à son fils. »

Avant de faire une interprétation, comme avant de pratiquer quelque intervention que ce soit, d'ailleurs, on doit se demander : « Ce que je me propose de dire est-il de nature à stimuler l'aidé dans l'exploration de son problème ? » ; « Serais-je plus utile en intervenant ou en gardant le silence ? » ; « En reflétant ou en focalisant ? » ; « En interprétant ou en confrontant ? », etc.

▪ Différents types d'interprétation

Les liens entre des éléments sans rapport apparent

Lorsqu'il recourt à l'interprétation, l'aidant peut établir des liens entre des éléments qui n'ont pas de rapport apparent entre eux. Par exemple : « Je remarque que chaque fois que ta femme a un succès au travail, tu as des reproches à lui faire. Comme si quelque chose te dérangeait dans ses réussites... »

Les mécanismes d'adaptation inconscients

L'aidant peut aussi évoquer un mécanisme d'adaptation inconscient. Par exemple : « Je pense que tu fais ça pour te protéger. » Ou : « Je pense que c'est ta façon d'aller chercher de l'affection. »

Les « affaires non réglées »

L'aidant attirera parfois l'attention de l'aidé vers des « affaires non réglées » pouvant interférer avec son expérience présente. Par exemple : « J'ai l'impression que ta tristesse ne vient pas seulement de cette déception-là, mais qu'elle est aussi reliée à quelque chose qui t'a fait mal dans le passé. »

Le recours à une théorie

Enfin, on peut aussi s'appuyer sur une théorie. Par exemple, une aidée dont le mari est mourant se dit troublée d'avoir rêvé qu'elle s'en prenait physiquement à lui. L'aidant lui dit : « Vous savez, la colère est une réaction instinctive à la perte de quelqu'un. Vous lui en voulez peut-être de vous abandonner... »

Une interprétation donnée pouvant appartenir à plus d'une catégorie, ce dernier exemple peut aussi être classé dans la première catégorie (liens entre des éléments sans rapport apparent) ou dans la deuxième (mécanismes d'adaptation inconscients).

Les quatre types d'interprétation décrits ci-dessus ont en commun le fait d'attirer l'attention de l'aidé sur un élément qui lui avait échappé jusque-là.

■ Les connaissances en psychologie

L'interprétation émane de nos connaissances en psychologie et de notre expérience (Linehan, 1997, p. 366 ; Greenberg et Elliott, 1997, p. 178 ; Hill et O'Brien, 1999, p. 23). On a donc intérêt à se familiariser avec les diverses théories de la personnalité et avec les divers phénomènes psychologiques qui influent sur le comportement, comme les mécanismes d'adaptation inconscients, le stress et sa gestion, la dynamique du deuil, etc.

Ces connaissances permettront de comprendre plus rapidement et plus précisément le vécu de l'aidé et de lui proposer au besoin cette compréhension de sa situation. Des connaissances plus étendues permettront aussi d'émettre plusieurs hypothèses pour expliquer un même comportement, et donc d'en faire plusieurs interprétations.

Revenons à l'exemple de la femme dont le mari est mourant. On peut interpréter son rêve d'agression soit comme une réaction à la perte anticipée, soit comme une réaction au stress que l'état de son mari lui fait vivre, soit encore comme des reproches face à des torts passés de ce dernier.

En disposant de plusieurs hypothèses, il devient plus facile de décoder les indices qui nous permettront d'en arriver à discerner celle qui est la plus vraisemblable et de proposer alors une interprétation pertinente.

■ Le sens de l'observation et l'intuition

La finesse d'observation et l'intuition peuvent aussi nous mettre sur la piste d'une bonne interprétation. À titre d'exemple, voici une scène qui se passe la nuit, au poste de garde d'un service de psychiatrie. Une patiente dit qu'elle ne parvient pas à dormir parce que les idées se bousculent dans sa tête.

La patiente	— Je viens de faire le ménage de ma chambre et j'ai rangé mes vêtements. Je sais ce que je vais porter demain. Tu sais, c'est très important pour moi, la façon dont je m'habille. Regarde mes chaînes aux chevilles, par exemple. Il y a des filles qui en portent juste une petite. Moi, j'aime en porter une grosse à chaque cheville.
L'infirmière	— Pourquoi aimes-tu porter ces chaînes ?
La patiente	— Ça fait jaser et j'aime faire jaser.
L'infirmière	— Moi, je ne vois pas ces chaînes de la même façon.
La patiente	(*Après un moment de surprise et de silence.*) — Ah non ? Comment tu les vois ?
L'infirmière	— Bien, elles me font penser à des chaînes qui tirent un boulet. J'ai l'impression que tu tires quelque chose de gros dont tu ne peux pas te défaire. Est-ce que je me trompe ?

Après un moment de silence et quelques résistances, la patiente commence à pleurer. L'infirmière lui prend la main. Puis la patiente raconte le viol collectif dont elle a été victime à l'âge de quatorze ans et dont elle n'a jamais parlé à qui que ce soit.

La patiente se sent soulagée et elle demande à l'infirmière comment elle a su qu'elle avait une *boule sur le cœur*. L'infirmière lui répond affectueusement : « Les chaînes... » L'infirmière revoit la patiente quelques jours plus tard et constate que celle-ci ne porte plus ses chaînes.

■ L'interprétation comme reflet en profondeur

L'étymologie révèle une parenté étroite entre l'interprétation et le reflet. Au verbe *interpréter,* le dictionnaire latin donne entre autres sens : « éclaircir », « traduire », « comprendre » et « chercher à démêler ».

Deux auteurs contemporains définissent simplement l'interprétation comme le fait d'« expliquer la signification plus profonde des mots, des expériences ou des actions du client » (Van Deurzen et Kenward, 2005, p. 103). On ne fait donc pas des choses bien différentes lorsqu'on tente de refléter le vécu sous-jacent de l'aidé et lorsqu'on entreprend de démêler, de comprendre et de traduire ce vécu (Watson, 2001, p. 462).

Le lecteur pourrait objecter qu'un reflet constitue une traduction directe, alors que l'interprétation n'est jamais qu'une hypothèse. Certaines interprétations ont cependant un haut degré de probabilité, tandis que bien des reflets demeurent hypothétiques. L'aidant qui a recours au reflet fait toujours une déduction relative à un sentiment ou à un contenu cognitif, à partir des indices qu'il a décodés chez l'aidé.

Or, une déduction n'est pas toujours exacte. Prenons l'exemple d'un aidant qui voit son interlocuteur essuyer une larme au coin de son œil et lui dit : « Ça te rend triste de parler de ça. » L'aidé lui répond : « Non, je viens de bâiller et j'ai toujours une larme quand je bâille... » La vigilance et une certaine humilité sont donc toujours de mise, autant en matière de reflet que d'interprétation.

■ L'interprétation et la focalisation

L'interprétation survient surtout à l'étape de la compréhension. Une fois qu'il a exprimé sa manière de réagir, l'aidé doit comprendre pourquoi il réagit ainsi. Nous avons vu comment la focalisation peut être utile à cette étape. En voici des exemples :

- « D'où peut venir cette peur-là ? » (ou : « [...] cette culpabilité-là ? » ou encore : « [...] cette frustration-là ? »)
- « Pourquoi penses-tu réagir comme ça ? »

Pour diminuer les risques d'erreur, pour garder l'aidé actif et pour prévenir des résistances de sa part, il est habituellement préférable de focaliser plutôt que d'interpréter.

Voici un exemple d'interprétation : « Ça vous contrarie que votre femme parle de travailler à l'extérieur parce que vous vous sentiriez diminué dans votre rôle de soutien familial. Qu'en pensez-vous ? »

L'aidé peut simplement nier, parce qu'il n'est pas prêt à admettre qu'il se sent menacé dans son statut. Il se peut aussi que l'interprétation fournie passe à côté du problème, qui est, en l'occurrence, la peur de devoir s'impliquer davantage dans les tâches domestiques.

C'est pourquoi une focalisation pourrait s'avérer plus productive : « Pouvez-vous essayer de voir ce qui vous contrarie dans le fait que votre femme parle de travailler à l'extérieur ? » C'est là une des raisons qui nous amènent à considérer la focalisation comme un outil majeur (avec le silence et le reflet), et l'interprétation comme un outil d'appoint (comme la question fermée et le soutien, par exemple).

▪ L'information

À l'occasion, il arrive que, pour prendre une décision éclairée ou pour mieux composer avec une situation difficile, l'aidé ait besoin d'une certaine information. Parfois, les connaissances en psychologie de l'aidant permettront de lui fournir. Souvent aussi, cette information proviendra d'un aidant qui exerce une autre profession, par exemple en soins infirmiers, en médecine, en travail social et en diététique.

À proprement parler, cette information n'est pas une interprétation en soi. Nous la mentionnons ici parce que, comme l'interprétation, elle permet à l'aidé de mieux comprendre son problème. Imaginons le dialogue suivant:

La jeune femme	— Je veux me faire avorter. Je n'ai pas le choix. Mais je sais que la religion l'interdit.
La conseillère spirituelle	— Vous vous sentez déchirée entre votre jugement personnel et la morale religieuse.
La jeune femme	— Oui. Comme croyante, je ne peux pas me le permettre.
La conseillère spirituelle	— C'est vrai que le pape s'est souvent prononcé contre l'avortement. Mais je vous dirai que la morale chrétienne a toujours considéré la conscience du sujet comme le point de repère ultime quand vient le temps de prendre une décision. (*Pause.*) Qu'est-ce que ça vous fait d'entendre ça?

Au lieu d'une conseillère spirituelle, on peut imaginer cette aidée se confiant à l'infirmière du service de santé de son collège et recevant l'information suivante:

L'infirmière	— Il te reste encore deux semaines pour faire ta demande. Est-ce que tu préfères attendre un peu et en parler d'abord avec le psychologue ou avec la conseillère spirituelle? Je sais que la conseillère est à son bureau tous les après-midis, et que tu peux avoir rapidement un rendez-vous avec le psychologue en mentionnant à sa secrétaire que tu es enceinte.

Dans cette brève intervention, l'aidante a donné trois renseignements. Le premier sur l'échéance pour demander une interruption de grossesse, et les deux autres sur la disponibilité des ressources du milieu qui pourraient aider la jeune femme à explorer ce qui lui convient et sur la façon de les contacter. Cette fois, ces renseignements ne sont pas des interprétations qui offrent à l'aidée une nouvelle compréhension de son problème, mais il s'agit quand-même d'information stratégique qui pourrait lui permettre de progresser sensiblement dans sa prise de décision.

On peut en retenir que l'information peut jouer un rôle important, soit à l'étape de la compréhension, en permettant un recadrage du problème (comme dans le cas de la conseillère spirituelle qui informe l'aidée sur la primauté de la conscience dans l'enseignement catholique), soit à l'étape de la recherche de solutions (comme dans le cas de l'intervention de l'infirmière), en favorisant l'exploration des scénarios de solution.

▪ L'apprentissage de l'interprétation

L'interprétation est une habileté plus complexe et plus difficile à acquérir que les habiletés de base (écoute empathique, formulation du problème, silence, reflet, focalisation, etc.). En effet, on a vu qu'elle requiert soit davantage de connaissances en psychologie, soit de la finesse d'observation ainsi qu'une touche d'intuition. On pourra donc se concentrer sur les habiletés majeures qui prépareront le terrain à l'acquisition de cet outil d'appoint, un peu comme dans le cas de la confrontation.

En bref

L'interprétation porte sur un élément du vécu de l'aidé, qu'il s'agisse d'un sentiment, d'une réaction, d'un projet, etc. En lui permettant de faire des liens qui lui avaient échappé jusqu'ici ou en lui proposant un éclairage psychologique, l'interprétation l'amène à porter un nouveau regard sur son problème, et donc à progresser dans la compréhension et la prise en charge de son vécu.

Quant à l'information, elle porte sur des données objectives qui pourront également aider le sujet à mieux comprendre son problème et donc à se situer d'une façon plus appropriée face à celui-ci.

Des questions à se poser
avant de faire une interprétation

1. L'interprétation que je me propose de faire arrive-t-elle au bon moment ou est-elle prématurée ? (Cette intervention serait prématurée si l'aidé en était encore au stade de l'expression des sentiments.)

2. Cette interprétation pourrait-elle être avantageusement remplacée par une focalisation ?

3. Cette intervention est-elle formulée d'une façon délicate et en se réservant une marge d'erreur ? («Avez-vous l'impression que...?» ; «Se pourrait-il que...?» ; «En un sens...» ; «D'une certaine façon...» ; etc.)

Exercice | Les jeux sexuels

Un homme âgé parle spontanément de sa jeunesse à son intervenante.

M. Paul — On vivait isolés. Je ne voyais jamais personne à part ma famille. À quatorze ans, un petit gars commence à avoir des envies. Je jouais beaucoup avec ma sœur. On allait marcher dans le bois ensemble, ou bien on allait à la pêche. C'est là que j'ai commencé à la toucher. Chaque fois, on allait toujours un peu plus loin. Je savais que c'était pas correct de faire ça, mais je le faisais quand même. (*A l'air accablé.*)

L'aidante (1) — Vous vous sentez encore coupable...

M. Paul — Ah oui !... Je n'aurais jamais dû faire des choses comme ça, même si ma sœur avait l'air d'aimer ça. Je me suis toujours demandé le mal que ça avait pu lui faire.

L'aidante (2) — Lui en avez-vous déjà parlé ?

M. Paul — Oui, une fois. Je me suis excusé, mais elle m'a répondu que c'était du passé et qu'il fallait oublier.

L'aidante (3) — Mais vous, vous n'avez pas oublié et vous ne vous êtes pas pardonné...

M. Paul — Non, jamais. Je ne sais pas si on peut se pardonner ça.

L'aidante (4) — C'est comme si vous vous reprochiez d'avoir commis des agressions sexuelles. Mais, en même temps, je comprends que votre sœur était consentante et qu'elle était plutôt votre complice...

M. Paul — Oui, c'est vrai. Elle aussi, elle aurait bien aimé avoir un ami, mais on était toujours tout seuls à la ferme. Puis des fois, c'est elle qui me disait : « Est-ce qu'on va à la pêche ? »

L'aidante (5) — En un sens, ça ressemblait plus à des jeux sexuels entre deux jeunes qui vivaient isolés ?

M. Paul — Je n'avais jamais vu ça de cette façon-là. (*Semble absorbé dans ses pensées.*)

Diriez-vous que les interventions 4 et 5 de l'aidante constituent des interprétations ? Justifiez brièvement votre réponse.

Ces interventions étaient-elles appropriées ? Si oui, pourquoi ? Sinon, imaginez une meilleure intervention.

Chapitre 12

La recherche de solutions

Les objectifs du présent chapitre :

- examiner la troisième étape de la relation d'aide, soit l'exploration des scénarios de solution ;
- constater que tous les problèmes ne requièrent pas une solution spécifique à court terme ;
- examiner des points de repère destinés à stimuler l'aidé dans l'exploration de son problème ;
- étudier les conditions à remplir pour que cette démarche ne soit pas prématurée.

P renons l'exemple d'un homme qui confie ceci : « J'ai découvert un cours de loisirs de plein air qui m'attire beaucoup. Mais pour le suivre, il faudrait que je laisse mon emploi de mécanicien... »

On peut imaginer divers éléments de solution à proposer à cet homme et lui poser l'une ou l'autre des questions suivantes :

- « Avez-vous pensé à vous informer pour savoir s'il existe des débouchés après ce cours ? »
- « Avez-vous pensé à demander des prêts et bourses ? »
- « Pourriez-vous continuer à travailler à mi-temps ? »

L'ennui, c'est qu'on ne connaît pas encore vraiment le problème. On peut présumer que l'aidé éprouve des insatisfactions face à son emploi de mécanicien, mais on en ignore la nature.

Il a peut-être de la difficulté à s'entendre avec ses collègues de travail. Si c'est le cas, sera-t-il plus heureux dans un autre environnement ?

Le sujet est peut-être simplement fatigué : la simple mention de *loisirs de plein air* lui fait miroiter des images de canot et de soleil. S'il prenait plutôt deux semaines de vacances ?

Peut-être aussi que l'aidé n'est pas malheureux dans son emploi actuel et qu'il aimerait seulement avoir plus de contacts humains, ce qu'il pourrait trouver en s'impliquant dans un organisme bénévole, par exemple.

On pourrait multiplier les possibilités pour arriver à la même conclusion : il est difficile d'apporter une solution pertinente à un problème dont on ignore encore la nature.

■ Avant de chercher des solutions

Les personnes qui n'ont pas d'expérience de la relation d'aide ou qui s'y sont initiées par elles-mêmes sont souvent portées à se centrer rapidement sur la solution du problème qui leur est soumis. Cela peut s'expliquer par le fait qu'elles ne maîtrisent pas l'art de la compréhension empathique ni les types d'intervention qui lui sont associés, ou par le succès qu'elles ont eu dans le passé à régler les problèmes qui leur étaient confiés.

On comprend alors la résistance de certains aidants chevronnés à considérer d'emblée la recherche de solutions comme une intervention légitime. Par exemple, Okun (2002, p. 82) ne l'inclut pas dans sa liste des dix techniques « les plus fréquentes », et considère que les conseils « risquent de dire à l'aidé ce qu'il doit faire ». L'auteure admet cependant du bout des lèvres que le conseil est justifié (*all right* dans la version originale anglaise) dans la mesure où il est présenté sur un mode exploratoire et qu'on ne manipule pas l'aidé pour qu'il le suive. Ces deux conditions semblent bien justifiées. Ajoutons-en trois autres.

Avant de se centrer sur la solution, il faut en effet s'assurer de trois choses. D'abord, a-t-on réussi à pénétrer dans la subjectivité de l'aidé, de manière à saisir la façon dont il perçoit les choses ?

Ensuite, a-t-on formulé mentalement son problème et vérifié, au besoin auprès de lui, si cette formulation correspond bien à sa propre perception ? Ces deux démarches supposent qu'on a aidé le sujet à exprimer clairement comment il se sent face à son problème.

Enfin, l'a-t-on aidé non seulement à exprimer son problème, mais aussi à le comprendre ? En effet, il faut que l'aidé puisse dire non seulement : « Voici mon problème. » Mais aussi : « Voici ce que je comprends de mon problème. » Ou encore : « Voici ce que mon problème me dit sur moi. »

Bref, avant de pouvoir s'engager avec profit dans l'exploration de la solution, il faut avoir franchi les deux étapes précédentes, soit celles de l'expression et de la compréhension.

◾ La troisième étape de la relation d'aide

La question de se centrer ou non sur la solution se pose d'une façon différente selon l'étape à laquelle on se trouve. S'il n'est pas utile de se centrer sur la solution à l'étape de l'expression ou de la compréhension, il serait par contre inadéquat de ne pas le faire lorsque l'aidé est parvenu à l'étape de la mobilisation de ses ressources.

Certaines personnes qui demandent de l'aide se trouvent parfois précisément à la frontière entre l'étape de la compréhension et celle de la solution. Elles sont déjà conscientes de ce que leur problème leur fait vivre (elles ont franchi l'étape de l'expression) et elles ont une bonne idée aussi des racines de ce problème (elles ont traversé l'étape de la compréhension).

Ce qu'elles demandent alors à l'aidant, c'est précisément de les stimuler dans la recherche d'une solution à leur problème. À ce moment-là, il est inutile de refléter ou de focaliser sur les sentiments de l'aidé (« Comment vous sentez-vous présentement ? »), ou encore, d'interpréter ou de focaliser sur sa compréhension du problème (« Qu'est-ce que ce problème vous dit sur vous-même ? »). On doit alors se centrer sur l'exploration de la solution.

C'est dire l'importance de situer l'aidé sur la trajectoire exploratoire, si on veut intervenir d'une façon pertinente. Une fois qu'on le sent mûr pour passer à la troisième étape, on peut lui faciliter les choses à l'aide d'une focalisation par question ouverte :

- « Qu'est-ce que tu as l'intention de faire ? »

- « Comment voyez-vous la suite des choses ? »

- « As-tu pensé à une façon de résoudre ton problème ? »

Et si l'aidé est déjà à l'étape de la recherche de solutions, mais qu'il n'en trouve pas, on pourra au besoin lui en suggérer une, si elle nous vient à l'esprit. Illustrons cela à l'aide du cas suivant :

L'aidée	— Ma petite ne fait pas encore ses nuits et mon mari ne veut pas se lever quand c'est son tour. C'est toujours moi qui me lève, et je me sens épuisée.
L'aidante	— Hum ! Hum !
L'aidée	— J'ai beau le lui dire délicatement, ça ne donne rien.
L'aidante	— Tu te sens frustrée qu'il ne t'écoute pas.
L'aidée	— Énormément.
L'aidante	— S'il était devant toi, qu'est-ce que tu aurais envie de lui dire ?
L'aidée	— Je lui dirais qu'il est égoïste, qu'il pense juste à lui. Il m'avait pourtant dit avant l'accouchement qu'il se lèverait la nuit, mais il ne s'est pas levé une seule fois.
L'aidante	— C'est comme s'il te laissait tomber...
L'aidée	— Oui, et ça me rend agressive, au point que ma fille le ressent. Ça l'affecte, elle aussi. Ça ne peut pas continuer.
L'aidante	— Comment aimerais-tu t'y prendre pour corriger la situation ?
L'aidée	— Je ne sais pas. Je ne sais pas quoi faire. Toi, as-tu une idée ?
L'aidante	— Tu pourrais peut-être lui écrire une lettre. Parfois, on est plus sensible aux mots quand ils sont écrits.
L'aidée	— Je pense que c'est une bonne idée. Je vais essayer.

Cette aidante a rapporté ce qui suit : « Ma copine m'a appris qu'elle avait écrit une lettre à son mari et que, depuis, il se lève la nuit. »

Cet entretien illustre bien l'adage populaire selon lequel «deux têtes valent mieux qu'une». L'aidante s'est d'abord mise à l'écoute de sa copine, comme en témoignent son silence, ses reflets et ses focalisations.

On présume qu'elle a procédé mentalement à la formulation du problème en se mettant à la place de l'aidée: «Mon problème, c'est de trouver rapidement une façon d'amener mon conjoint à se lever la nuit.» Et on présume également qu'elle a situé l'aidée sur la trajectoire de l'exploration des solutions ou des scénarios permettant une mobilisation de ses ressources. Elle a ensuite renvoyé l'aidée à elle-même: «Comment aimerais-tu t'y prendre pour corriger la situation?» Ce n'est qu'à la suite de ces démarches qu'elle lui a proposé le scénario de solution qui lui venait en tête.

▪ Les «nouvelles boucles»

Beaucoup d'aidés trouvent spontanément une solution à leur problème dès qu'ils ont franchi correctement les deux premières étapes de leur démarche d'exploration. Il leur reste alors à se préparer émotivement à passer à l'action.

Voyons l'exemple d'une aidée qui en vient à la conclusion qu'elle doit mettre un terme à une relation qui la détruit. Cette rupture ne se fera probablement pas sans qu'elle éprouve certaines résistances et sans qu'elle doive faire le deuil des avantages que cette relation pénible lui apportait malgré tout.

Ces résistances et ce travail de deuil pourront l'amener à s'engager dans une «nouvelle boucle» expression-compréhension-solution. Elle pourra alors explorer comment elle se sent face à la perspective de cette rupture (étape de l'expression) et pourquoi elle réagit comme elle le fait (étape de la compréhension).

Le cheminement qu'elle fera dans cette boucle lui permettra de progresser dans la phase de mobilisation de ses ressources, et de se préparer à vivre cette rupture au moment et de la façon qui lui conviendront le mieux.

▪ La multiplication des scénarios de solution

L'aidé ne parvient pas toujours à discerner la solution appropriée à son problème. L'aidant doit alors le stimuler dans son exploration en y allant de ses suggestions.

Il peut arriver que l'aidé se sente impuissant parce qu'il se trouve prisonnier d'un scénario unique qui ne lui convient pas. Il y a alors lieu d'explorer d'autres scénarios, car plus ils seront nombreux, plus l'intéressé aura de chances de découvrir celui qui lui convient le mieux. Multiplier les scénarios de changement revient alors à donner à l'aidé davantage de pouvoir sur l'orientation de sa vie et à lui permettre de sauvegarder, de rétablir, voire d'augmenter son bien-être.

Ainsi, il y a bien des façons de communiquer à un partenaire la décision qu'on a prise de rompre avec lui. On peut le lui dire de vive voix ou par écrit; on peut le lui dire directement et d'un seul coup ou progressivement, en lui communiquant de plus en plus clairement ses insatisfactions et son désir de se réorienter; on peut le lui dire seul à seul ou avec l'appui d'un aidant; on peut le lui dire à un moment où l'on se sent proche de lui, ou au contraire à un moment où l'on se sent dynamisé par l'agressivité que l'on éprouve à son endroit, etc.

Dans l'élaboration des scénarios, l'aidant doit solliciter la participation de l'aidé, en lui demandant par exemple: «As-tu une idée sur la façon dont tu pourrais communiquer à ton partenaire ta décision de le quitter?» Par la suite: «Y aurait-il d'autres façons de t'y prendre?»

Lorsque le sujet se trouve à court de scénarios, l'aidant peut prendre la relève et lui soumettre ceux qui lui viennent à l'esprit.

Outre la focalisation, l'aidant peut utiliser la confrontation. Il pourra, par exemple, déclarer à une aidée: «Il est devenu clair pour toi que tu dois quitter ton partenaire. Alors, quand le lui dis-tu?»

Une telle intervention n'a pas pour but d'amener l'aidée à passer tout de suite à l'action, mais seulement de lui permettre de détecter ses résistances et d'explorer divers scénarios.

On peut aussi utiliser le reflet: «J'ai l'impression que tu n'es pas tout à fait prête à passer à l'action. Est-ce que je me trompe?»

Bref, tous les types d'intervention peuvent servir à stimuler l'aidé dans l'exploration de son problème. Notons à ce propos qu'on peut parfois pratiquer certaines interventions centrées sur la solution pour stimuler l'expression des émotions (première étape) ou la compréhension du problème (deuxième étape), et non pas pour trouver une solution comme telle. En voici un exemple:

L'aidée	— Je suis fatiguée de vivre avec lui. Je le trouve profiteur comme ce n'est pas possible. Il abuse vraiment de moi...
L'aidante	— As-tu pensé à le mettre dehors?

Cette confrontation a pour but de permettre à l'aidée d'exprimer ce que la situation lui fait vivre et non pas de l'orienter tout de suite vers une solution. Soit dit en passant, il se pourrait que cette aidée règle son problème en apprenant à s'affirmer plutôt qu'en se séparant de son partenaire.

■ Les solutions à court et à long terme

En examinant les étapes de la relation d'aide, au chapitre 3, nous avons vu qu'on ne peut pas comprendre ni trouver une solution à tous les problèmes (pensons à la mort accidentelle d'un proche, par exemple).

Certains problèmes plus dramatiques exigeront simplement que l'aidé passe plus de temps simplement à s'exprimer. Mais, comme il doit *apprendre à vivre avec son problème,* certaines interventions centrées sur des solutions à court terme pourront devenir éventuellement pertinentes. En voici un exemple : « C'est tout un drame que vous vivez. » (Reflet et soutien.) « Auriez-vous envie qu'on examine ensemble les moyens que vous pourriez prendre pour vous aider à traverser cela ? » (Recherche de solution.)

Dans cet exemple de la mort d'un proche, la solution consiste à compléter le travail de deuil, ce qui est évidemment une solution à moyen ou à long terme. Or, même dans une telle situation, il devient pertinent, à un certain moment, de se centrer provisoirement sur des solutions à court terme, c'est-à-dire sur des moyens concrets de progresser dans le processus du deuil (par exemple, se confier à des proches).

En bref

Avant de se centrer sur la recherche de la solution, il faut faire preuve de compréhension empathique, et donc chercher à percevoir les choses comme l'aidé les perçoit. Ceci implique qu'on l'accompagne dans l'exploration de ses sentiments face à son problème, ainsi que dans l'exploration de sa compréhension de ce problème.

Par la suite, il y a habituellement lieu d'accompagner l'aidé dans l'exploration de la solution, surtout à l'aide de reformulations et de questions. Ce n'est qu'une fois ces démarches effectuées qu'on peut lui suggérer des scénarios de solution auxquels il n'aurait pas pensé lui-même. Bien sûr, on devra l'aider à se situer par rapport à ces suggestions.

Des questions à se poser
avant de suggérer une solution

1. L'aidé a-t-il franchi les deux premières étapes de la démarche : est-il bien en contact avec ses sentiments et a-t-il une bonne idée de la nature et de la cause de son problème ?

2. Lui ai-je d'abord demandé ce qu'il entrevoit comme solutions possibles, ou encore, ce qu'il peut faire pour atténuer le malaise que lui cause son problème ?

Des questions à se poser
après avoir suggéré une solution

1. Comment l'aidé réagit-il à ma suggestion, à la fois non verbalement et verbalement ? (Il y a souvent lieu de lui refléter cette réaction, ou au besoin, de lui poser directement la question : « Comment vous sentez-vous face à cette perspective ? »)

Ajoutons une question, bien que celle-ci soit d'un autre ordre :

2. Ai-je à portée de main les coordonnées mises à jour des différentes ressources du milieu auxquelles je pourrais référer l'aidé pour lui permettre de progresser dans la prise en charge et la solution de son problème (notamment les ressources variées de l'école, du centre de santé, des organismes communautaires) ?

Exercice Le rejet du fils homosexuel

Carmen, une intervenante du centre de santé, visite M. Louis, un homme âgé atteint d'un cancer du foie à un stade avancé. Il semble relativement serein face à sa mort, mais un jour, il lui confie ceci :

M. Louis — J'ai quelque chose d'important à te dire. (*Silence, réfléchit un moment.*) Tu sais, on a eu juste un fils, et je l'ai mis à la porte à 25 ans parce qu'il aimait les hommes.

Carmen (1) (*Le regarde dans les yeux.*)

M. Louis — Je ne pouvais pas accepter ça. Il est parti faire sa vie à Québec. On ne l'a plus jamais revu, mais ma femme a toujours gardé contact avec lui jusqu'à sa mort, il y a cinq ans. Ça me permettait d'avoir de ses nouvelles indirectement. (*Silence.*) Il a soixante ans maintenant, mais je n'ai aucune idée de l'endroit où il est. (*Silence.*) Je leur ai fait beaucoup de peine. À ma femme et aussi à lui.

Carmen (2) — Si c'était à refaire, vous agiriez différemment.

M. Louis (*La voix cassée.*) — Oui, j'ai été tellement égoïste.

Carmen (3) — Est-ce qu'il est trop tard pour faire quelque chose ?

M. Louis — Je ne sais pas où il peut être. Aux dernières nouvelles, il était à Québec. Il n'a sûrement pas envie de me voir, après tout ce que je lui ai fait. (*Silence.*) J'ai pensé lui écrire une lettre et te la laisser. Tu pourrais mettre une annonce dans le *Journal de Québec* et, s'il communique avec toi, lui envoyer la lettre.

Carmen (4) — Comme ça, vous allez vous sentir mieux…

M. Louis — Oui. Ça ne réparera pas le mal que je lui ai fait, mais je vais lui demander pardon.

Formulez en une phrase le problème de M. Louis.

Identifiez les quatre interventions de Carmen.

Évaluez brièvement la pertinence de la troisième intervention et formulez-en une meilleure au besoin.

Commentez en quelques mots l'ensemble de l'intervention de Carmen.

Chapitre 13

L'implication

Les objectifs du présent chapitre :

- examiner le contexte dans lequel l'aidant peut parfois partager avec l'aidé ses propres réactions, sentiments ou expériences ;
- étudier la façon dont l'aidant peut s'y prendre pour ce faire ;
- explorer le phénomène de la surimplication émotive, en observant ses manifestations, ses causes et ses effets.

L' approche psychanalytique traditionnelle considère toute révélation de soi de la part de l'aidant comme une entorse à la
neutralité qu'il doit observer tout au long de la démarche thérapeutique. Toute implication serait à mettre sur le compte du *contre-
transfert,* c'est-à-dire de l'irruption de l'histoire personnelle et des
besoins affectifs de l'aidant dans sa relation avec l'aidé.

Et pourtant, la grande majorité des aidants expérimentés, quelle
que soit leur orientation théorique, disent partager à l'occasion
avec l'aidé certaines de leurs réactions, voire certaines de leurs
expériences.

C'était le cas pour 93 % des 456 psychologues américains interrogés
par Pope et ses collègues (1987). Une autre chercheuse a découvert
que 80 % des 346 psychiatres, psychologues ou travailleurs sociaux de
son échantillon considéraient l'implication comme un outil de la
relation d'aide ou de la thérapie (Mathews, 1989 ; Robitschek et
McCarthy, 1991).

Il arrive donc que l'aidant laisse percevoir sa surprise, sa tristesse,
son inconfort ou son inquiétude par rapport à ce que l'aidé est
en train d'exprimer, sa satisfaction ou sa déception face au déroul-
lement de l'entretien, ou encore le fait qu'il se sente proche de
l'aidé ou qu'il l'apprécie comme personne. Il arrive même que l'aidant fasse brièvement référence à sa vie sur un point qui déborde l'entrevue.

■ Les fondements de l'implication

Pour l'approche humaniste en psychothérapie, c'est la rencontre elle-
même qui est facteur de guérison. Or, toute rencontre authentique est
fondée sur la réciprocité (Van Deurzen et Kenward, 2005, p. 169 et 171).
Le fondateur de l'approche humaniste, le psychologue américain Carl
Rogers, dira ainsi :

« Nous connaissons tous des personnes à qui nous sommes portés à
faire confiance parce que nous les sentons ouvertes et transparentes.
Nous nous sentons en présence de la personne elle-même, et non pas
d'une façade polie ou professionnelle. C'est ce que nous appelons la
congruence (ou l'authenticité). »

L'aidant fait alors preuve de conscience de soi, il a accès aux sentiments qu'il éprouve, il est capable de les vivre et de les communiquer
s'il le juge approprié (Rogers et autres, 1967, p. 100-101).

Trois points ressortent de cet extrait :

Premièrement, l'authenticité est primordiale pour l'établissement d'une relation de confiance avec l'aidé. Ce dernier doit sentir que l'aidant est un être humain à part entière, qu'il peut vivre des émotions et qu'il est disposé à les partager au besoin.

Deuxièmement, en même temps qu'il entreprend de pénétrer dans l'univers subjectif de l'aidé, l'aidant doit demeurer conscient de sa propre subjectivité. Il doit ainsi pouvoir reconnaître rapidement ses réactions diverses : intérêt, ennui, inconfort, blâme, peur, impatience, attrait ou répulsion, etc.

Troisièmement, l'aidant doit développer son flair pour discerner les moments où il est préférable de demeurer centré sur le vécu de l'aidé, et ceux où une brève référence à son propre vécu pourrait avoir un impact positif sur la démarche de l'aidé.

▪ Les objectifs de l'implication

L'implication permet à l'aidant d'être vrai, ce qui a normalement pour effet de renforcer le lien de confiance avec l'aidé. Les autres objectifs que les thérapeutes soulignent le plus fréquemment sont les suivants : apporter du soutien à l'aidé en lui faisant comprendre qu'il n'est pas seul à vivre ce qu'il vit, lui fournir des exemples de stratégies d'adaptation et lui permettre de porter un autre regard sur son vécu (Simone et autres, 1998, p. 180-181).

En voici un exemple. Un aidant suggère à une personne d'entreprendre une thérapie. Celle-ci répond : « Je ne pensais pas que j'étais si malade... » Sur ce, l'aidant lui dit : « Tu sais, les thérapies ne sont pas réservées aux gens perturbés. J'en ai suivi une pendant deux ans et ça m'a beaucoup aidé à me comprendre et à simplifier ma vie. » Cette intervention recoupe plusieurs des objectifs de l'implication énumérés ci-dessus.

Certains auteurs demeurent toutefois critiques face à l'implication, en faisant valoir que, pour l'aidant, le fait de parler de soi, si brièvement soit-il, correspond la plupart du temps à son propre besoin plutôt qu'à celui de l'aidé, besoin qu'il rationalise en se disant que c'est bon pour l'aidé. En effet, il est toujours agréable de se retrouver dans le rôle de l'expert, du sage ou du conférencier, fût-ce pour une micro-conférence de vingt secondes... De plus, le fait de parler de soi donne à tort l'impression d'être reconnu et d'être perçu comme actif et efficace (Graybar et Leonard, 2005, p. 18). Cela donne à réfléchir...

La recherche sur l'implication

Ce type de critique a amené les chercheurs à distinguer la révélation de soi qui est inappropriée de celle qui peut consolider l'alliance thérapeutique et stimuler la démarche de l'aidé (Barglow, 2005 ; Glass, 2003 ; Capobianco et Farber, 2005).

Par exemple, on distingue l'implication face à ce qui se passe durant les confidences que l'aidant peut faire sur son vécu en dehors de la relation d'aide.

Voici des exemples de réaction de l'aidant durant l'entretien : « J'apprécie le fait que vous soyez ouvert et direct avec moi. » Ou : « Ce n'est pas clair pour moi ce que vous essayez de m'expliquer. »

Voici maintenant un exemple de confidence portant sur un élément de la vie de l'aidant qui déborde l'entretien : « Quand j'étudiais, moi non plus je n'étais pas sûr de ce que je voulais faire plus tard. »

Or, différentes recherches donnent à penser que les réactions de l'aidant à ce qui se passe durant l'entretien sont davantage de nature à stimuler l'exploration de son vécu par l'aidé, tandis que les confidences de l'aidant risquent plus souvent de distraire l'aidé de son vécu immédiat (McCarthy et Betz, 2001).

S'impliquer si on le juge approprié

Voici à cet égard un exemple qui fait réfléchir. Alors qu'une mère explore ses inquiétudes face à sa fille qui a déjà vécu des épisodes d'anorexie et qui donne des signes de rechute, une aidante en formation, après l'avoir bien écoutée, lui dit : « Ça me touche beaucoup parce que ma meilleure amie est anorexique. » Puis, l'aidante se recentre sur l'aidée. Or, en revenant sur l'entretien, l'aidée a confié avoir réagi négativement à cette implication de l'aidante, pourtant très brève, en disant que cela l'avait distraite dans son exploration.

En conséquence, même brève et délicatement formulée, une implication peut être facilement perçue comme une intrusion par une personne qui est concentrée sur son problème.

Il faut en conclure que l'aidant doit demeurer discret sur ce qu'il pense et ce qu'il vit, et ne s'impliquer brièvement que lorsqu'il est raisonnablement sûr que cette intervention sera de nature à contribuer de quelque façon à faciliter la démarche de l'aidé. Dans le doute, mieux vaut s'abstenir.

La surimplication et ses indices

Un auteur situe l'implication dans la problématique plus large des cadeaux que l'aidant fait parfois à l'aidé, comme un livre ou un disque prêté ou donné, une visite à l'hôpital, un appel téléphonique dans une circonstance particulièrement difficile ou la photocopie d'un article portant sur un sujet abordé en entrevue (Smolar, 2003).

Chacun de ces gestes peut être justifié par le contexte, mais il arrive aussi que l'on s'implique exagérément, que l'on fasse des interventions verbales trop fréquentes ou que l'on réagisse d'une façon excessive au vécu de l'aidé. Certains parleront alors de contre-transfert. Voici quelques indices de ce phénomène :

1. Entre les entretiens, être habité de manière inhabituelle par le vécu de l'aidé, ou encore par ses paroles d'appréciation ou ses reproches. Par exemple, se sentir particulièrement triste ou préoccupé par ce qui lui arrive.

2. Offrir à l'aidé un soutien ou une disponibilité qu'on n'offre pas aux autres aidés, ou lui rendre des services qu'on ne rend pas aux autres.

3. Lui faire des confidences qu'on ne fait pas aux autres aidés.

4. Penser plus souvent que d'habitude au fait que l'accompagnement va se terminer un jour et être tenté de le prolonger.

5. Être critique face aux personnes qui sont en conflit avec l'aidé et faire pression sur celui-ci pour qu'il rompe avec elles.

6. Se sentir en compétition avec les autres personnes qui offrent à l'aidé soutien ou assistance.

Pris isolément, certains de ces indices ne devraient pas inquiéter. Après tout, la relation d'aide est une forme de rencontre entre deux êtres humains et certaines de ces rencontres peuvent être plus marquantes que d'autres.

Toutefois, il serait prudent de prendre garde à certaines situations, surtout si elles recoupent plusieurs indices. On devrait alors demander une supervision afin de prendre un recul critique et de mieux comprendre la dynamique qui s'est installée.

Quelques causes de la surimplication

La surimplication survient lorsque l'aidant perd le sens de la frontière entre son vécu et celui de l'aidé et devient indûment responsable de la vie de ce dernier. Ce phénomène peut avoir plusieurs causes.

■ La difficulté à accepter ses limites personnelles

Le fait que nous ne soyons pas tout-puissants représente une atteinte à notre image de soi, au sentiment de notre valeur personnelle. En chacun de nous sommeille un sauveur qui rêve d'intervenir à point nommé dans l'existence d'autrui pour le tirer du pétrin ou apaiser sa détresse.

La dynamique du sauveur se traduit par la tendance à consacrer à la personne que l'on aide une part exagérée de nos énergies et de notre disponibilité.

■ L'interférence des « affaires non réglées »

La surimplication peut aussi découler de conflits non résolus ou de blessures non guéries chez l'aidant. Par exemple, si l'aidé aborde la question d'une relation extraconjugale, l'aidant peut réagir inconsciemment à la souffrance que son propre conjoint lui a causée, ou à la culpabilité qu'il a lui-même éprouvée dans une situation analogue. Ou encore, si l'aidé parle de la souffrance causée par le manque d'affection de ses parents, l'aidant peut réagir inconsciemment à ses propres manques sur ce plan.

■ La difficulté à dire non

Enfin, l'aidant peut avoir de la difficulté à s'opposer délicatement, mais avec fermeté, aux demandes de l'aidé qui lui semblent dépasser les limites. L'aidé peut lui téléphoner fréquemment et lui demander divers services, par exemple intervenir pour lui auprès de tiers et désirer prolonger les entretiens ou en augmenter la fréquence.

Un aidant porté à la surimplication peut communiquer à son insu le message que l'aidé est justifié de faire de telles demandes. À l'inverse, un aidant qui a une image plus claire de son rôle sera davantage capable, dès le début de son intervention, de faire savoir à l'aidé ce qu'il est prêt à lui offrir et de s'y tenir par la suite, en utilisant des contrôles (nous examinerons ce type d'intervention au chapitre suivant).

■ Les conséquences de la surimplication

Une trop forte implication de l'aidant peut entraîner différentes conséquences indésirables, que ce soit pour lui-même ou ses proches, ou encore pour l'aidé ou ses proches.

Ainsi, en déployant une énergie excessive dans une relation d'aide, l'aidant investit dans cette relation des forces qu'il ne peut plus consacrer à ses proches et aux autres personnes auprès de qui il intervient. L'aidant peut aussi être entraîné à réduire ses loisirs et ses périodes de repos, ce qui lui fera alors courir le risque de l'épuisement professionnel (nous y reviendrons au chapitre 16).

De la même façon, l'aidant peut entrer en compétition avec le conjoint ou les parents de l'aidé, en faisant pour lui des choses qui leur reviennent normalement.

Cela risque d'amplifier le sentiment d'impuissance et de culpabilité que peuvent éprouver les proches, ou encore de déclencher leur hostilité. Une telle dynamique amènerait alors l'aidé à se sentir coincé et à avoir peur de perdre sur les deux terrains.

Commentons brièvement la relation d'aide avec un proche. On dit parfois qu'il est plus facile d'accompagner un étranger qu'un proche. Il ne faut pas généraliser, car beaucoup de personnes qui pratiquent la relation d'aide de façon impromptue, notamment avec leurs enfants ou leurs parents, le font d'une manière très adéquate.

Il reste toutefois que ce contexte particulier risque parfois de priver l'aidant du recul nécessaire à une écoute vraiment empathique et à des interventions respectueuses de l'autonomie de l'aidé. Cela, dans la mesure où le problème d'un proche ou la décision qu'il s'apprête à prendre peuvent avoir des répercussions sur la vie de l'aidant, ou simplement sur l'image qu'il se fait du parent ou de l'ami qu'il accompagne. L'exercice proposé à la fin du chapitre 14 permettra d'illustrer cette dynamique.

▪ L'apprentissage de l'implication

L'implication est un outil délicat dont le maniement nécessite bien des habiletés, à commencer par une bonne connaissance de soi et une conscience lucide de la dynamique subtile et toujours mouvante qui s'instaure dans la relation entre l'aidant et l'aidé.

Il est donc sage de s'employer d'abord à exercer les habiletés majeures que sont au premier chef l'écoute, le silence, la formulation du problème, le reflet et la focalisation. Une fois ces habiletés maîtrisées, l'occasion se présentera peut-être où l'on se risquera à tenter une brève implication.

Le défi érotique

La référence aux sentiments ou au vécu de l'aidant soulève la question de l'interférence érotique dans la relation entre l'aidant et l'aidé. Dans la vie quotidienne, le fait d'être engagé dans une tâche commune est de nature à créer spontanément une intimité qui tend à s'étendre à d'autres secteurs que la tâche en cours. Par exemple, à la condition d'avoir un minimum d'atomes crochus, des collègues de travail auront envie d'aller casser la croûte ensemble ou de se présenter leurs conjoints respectifs ; ils seront portés à se faire des confidences, à se soutenir dans des moments difficiles, etc. (Schwartz et Olds, 2002, p. 3-4.)

Il s'agit là d'un phénomène normal qui survient dans toute situation de relations humaines. Le défi érotique ne se limite donc pas au cas d'une aidée particulièrement séduisante ou encore à celui d'un aidant à la libido particulièrement exacerbée. Le défi est toujours là, ne serait-ce que d'une façon latente.

Mais, les protagonistes de la relation d'aide ne sont pas de simples collègues de travail. Dès le départ, il s'établit souvent entre eux un climat d'intimité spéciale alors que la personne aidée entreprend de se révéler, tandis que l'aidant met tout en œuvre pour accéder à l'univers de la personne qui se dévoile.

De plus, bien des personnes demandent de l'aide parce qu'elles ont des besoins affectifs non comblés, tandis que d'autres traversent des crises d'identité qui les rendent confuses face à ce qui leur convient vraiment. Quant à l'aidant, il représente la stabilité émotive et la sécurité. Il est celui qui accueille, qui comprend et qui s'emploie à vaincre patiemment les résistances de la personne qu'il aide à se voir et à se révéler telle qu'elle est.

Cette situation est de nature à engendrer des désirs sexuels de part et d'autre, tendance qui se trouve amplifiée par le contexte d'isolement dans lequel se déroule habituellement la relation d'aide : pas de surveillance, de témoin, de conjoint dont la réaction de jalousie, comme un signal d'alarme, remettrait les protagonistes dans la réalité…

Enfin, il faut compter avec le déséquilibre des rapports en présence, l'aidant détenant le pouvoir que lui confèrent son statut et son expertise et l'aidé étant par définition celui qui est fragilisé par un problème suffisamment sérieux pour l'amener à consulter. Il en résulte que nous sommes loin ici d'une relation égalitaire où deux partenaires à part entière seraient en mesure de conjuguer sainement leurs attraits et leurs besoins.

Pour demeurer bref, disons que le défi érotique soulève trois enjeux. D'abord, l'aidant doit demeurer conscient de la dynamique qui s'établit entre lui et la personne aidée, et plus particulièrement de ses propres besoins et désirs. Ensuite, il doit évaluer les besoins affectifs immédiats de la personne aidée ainsi que les siens, dans le contexte de l'ensemble de la vie de cette personne et de sa propre vie. Enfin, à plus long terme, il doit aménager son existence de manière à ce que ses besoins d'intimité affective et sexuelle soient comblés d'une façon régulière, ailleurs et autrement que dans son travail d'aidant. Les aidants qui auraient du mal à relever ces défis devraient solliciter sans tarder une supervision à cet égard.

> **En bref**
>
> L'implication permet à l'aidant de se révéler comme une personne humaine et non comme un simple spécialiste de la relation d'aide. Elle peut contribuer à bâtir la relation, à donner du soutien à l'aidé, à favoriser chez lui des prises de conscience ou à lui inspirer des scénarios de solution. Il faut toutefois utiliser ce type d'intervention avec parcimonie, et veiller aussi à éviter la surimplication.

Des questions à se poser avant d'utiliser l'implication

1. La référence à mon vécu que je pense utiliser vise-t-elle à répondre à mes besoins ou à stimuler l'aidé dans sa démarche ?

2. Quel est l'objectif de mon intervention : apporter du soutien, dédramatiser la situation, servir de modèle, amener l'aidé à prendre conscience, etc. ?

3. Pourrais-je obtenir le même effet avec un type d'intervention plus courant, comme le reflet, la focalisation, la confrontation ?

4. La réaction ou la confidence que je m'apprête à partager risque-t-elle de distraire l'aidé ou de l'amener à s'interroger sur mes intentions ?

(Ces questions s'inspirent en partie de Simone et autres, 1998, p. 181-182.)

Le conjoint violent

Marcel est enseignant au cégep et il se présente au service de consultation psychologique du collège, où il demande à parler à l'un des psychologues qu'il connaît bien.

Marcel — J'ai besoin de te parler. As-tu dix minutes ?

Gilles (1) — J'ai vingt minutes, mais pas plus, parce que j'ai une entrevue à dix heures.

Marcel (*L'air perdu.*) — Ma femme vient de partir avec ses valises. Je n'en reviens pas. (*Silence.*) Je n'ai jamais pensé que ça arriverait. (*Silence.*)

Gilles (2) — Tu ne l'avais pas vu venir…

Marcel — Non. On avait nos accrochages, comme tout le monde. (*Silence.*)

Gilles (3) — Qu'est-ce que tu veux dire ?

Marcel (*Long silence.*) — Des fois ça brassait fort. Je ne l'ai jamais touchée, par contre. Mais ça m'est arrivé de défoncer les murs avec mes poings. (*Silence*). Des fois, je perdais les pédales, surtout à cause de ma fille. Ma femme la protégeait toujours, et moi je n'avais jamais raison. (*D'une voix forte.*) Elle n'avait pas le droit de me faire ça. Je n'ai jamais voulu lui faire de mal et là, c'est elle qui me démolit. Ça m'enrage. (*Long silence.*) Penses-tu qu'elle peut revenir ?

Gilles (4) — Écoute, je vais être franc avec toi. Si j'étais à sa place, j'aurais peur moi aussi.

Gilles (5) — Tu sais, il y a une gradation dans la violence. La violence verbale et les cris, puis la violence sur des objets. Et finalement la violence sur les personnes.

Gilles (6) — Moi, en tout cas, ce n'est pas sûr que je reviendrais si mon conjoint ne se faisait pas aider.

Identifiez les six interventions de l'aidant.

Évaluez la pertinence des interventions 4-5-6 et dites quel impact vous pensez qu'elles peuvent avoir.

S'il y a lieu, formulez de meilleures interventions.

Chapitre 14

Le contrôle

Les objectifs du présent chapitre :

■ explorer les différents usages du contrôle ;

■ examiner trois formes de contrôle :

— le contrôle qu'imposent les situations d'urgence ;

— le contrôle qui concerne l'encadrement de l'entretien ;

— le contrôle relié aux directives extérieures à l'entretien ;

■ aborder une forme de contrôle moins appropriée.

L e contrôle est un type d'intervention qui vise à amener l'aidé à adopter un comportement ou une suite de comportements précis. Nous examinerons tour à tour les quatre formes qu'il prend le plus souvent.

■ Le contrôle dans les situations de crise

Pour illustrer l'usage du contrôle dans les situations de crise, examinons le cas suivant. Une étudiante en larmes explique à la mère d'un copain, qui est infirmière, que le condom de son ami s'est percé au cours d'une relation sexuelle.

L'aidante	— Tu as peur de tomber enceinte ? (Reflet.)
L'aidée	— Oui, et je ne veux pas. Mes parents ne le prendraient vraiment pas. Il ne faut pas qu'ils le sachent.
L'aidante	— Il y a la pilule du lendemain. (Information.) Quand a-t-elle eu lieu, cette relation ? (Question fermée.)
L'aidée	— C'était hier soir. On est allés à l'hôpital. On a attendu trois heures et le médecin a refusé de me prescrire la pilule, en disant que ce n'était pas une méthode contraceptive. Qu'est-ce que je vais faire ?
L'aidante	— Le médecin n'avait pas à te refuser la pilule. Tu as un problème urgent, tu as seize ans et tu as le droit de l'avoir. (Information.) Rends-toi au centre de santé et demande la pilule du lendemain, ou bien va voir l'infirmière de ton école. C'est peut-être plus facile pour toi.
L'aidée	— Si je vais voir l'infirmière de l'école, elle va appeler ma mère. Je préfère aller au centre de santé [...] Ouf ! Merci. Vous me sauvez la vie !

Nous avons identifié et indiqué entre parenthèses toutes les interventions de l'aidante, sauf celle-ci :

« Rends-toi au centre de santé et demande la pilule du lendemain, ou bien va voir l'infirmière de ton école. »

Ce type d'intervention ne correspond à aucun de ceux de notre coffre à outils examinés jusqu'ici. Cela se rapproche d'un scénario de solution, mais il s'agit d'autre chose que d'une exploration ou d'une suggestion. Et surtout, l'aidante n'invite pas l'aidée à réagir à sa proposition, et son intervention est impérative : «Rends-toi au centre de santé [...] ou bien va voir l'infirmière de ton école.»

Ce type d'intervention s'appelle un contrôle. Comme on y a souvent recours dans des situations d'urgence, nous allons examiner de plus près la dynamique de l'intervention de crise.

■ L'intervention de crise

Définissons simplement une crise comme une situation dans laquelle l'aidé se sent dépassé par les événements. Cela peut survenir à la suite d'une agression sexuelle, de la perte d'un proche ou d'un emploi, à la suite d'un diagnostic de maladie grave, lors d'un divorce, d'une grossesse inattendue, etc.

Dans de telles situations, il faut souvent agir rapidement, ce qui peut nous amener à modifier notre style d'intervention habituel (silence, reflet, question ouverte, etc.) pour devenir plus actifs. Voici quelques consignes à cet effet (Westefeld et Heckman-Stone, 2003 ; Wiger et Harowski, 2003 ; James et Gilliland, 2001) :

1. Demeurez calme. Dites-vous bien que c'est l'aidé qui est en crise, et pas vous. L'empathie que vous lui manifestez ne doit pas vous faire oublier que vous n'êtes que l'aidant.

2. Si l'aidé vous semble suicidaire, dérangé ou potentiellement violent, veillez à ce qu'il reçoive une assistance psychiatrique immédiate, au besoin en l'accompagnant vous-même à l'urgence.

3. Si l'événement déclencheur est survenu il y a plus d'un mois et surtout s'il s'agit d'un événement violent, vérifiez la présence des symptômes suivants : anxiété élevée, fort sentiment de détresse, d'impuissance et de vulnérabilité, images et souvenirs intrusifs (*flashbacks*), difficultés sérieuses à fonctionner dans le quotidien. Ces symptômes révèlent l'existence du syndrome de stress posttraumatique, lequel requiert une aide spécialisée.

4. Assurez-vous de la sécurité et du bien-être de l'aidé. Risque-t-il de se faire du tort à lui-même, que ce soit en abusant d'alcool, d'autres drogues ou de médicaments, ou en prenant des décisions malencontreuses ? Des proches peuvent-ils continuer à lui faire du tort (comme un conjoint violent, un fils ou une fille qui cherche à s'emparer de ses biens) ? Si oui, il faut agir en priorité à ce niveau.

5. Invitez l'aidé à s'exprimer sur sa situation, formulez mentalement son problème et demandez-vous ce que vous pouvez faire pour l'aider.

6. Convenez avec lui des mesures à prendre pour assurer sa sécurité, stabiliser sa situation et mobiliser les ressources qui lui permettront de se tirer d'affaire. Aidez-le notamment à voir comment il peut prendre soin de lui-même et comment il peut se rapprocher des personnes qui peuvent le soutenir dans les jours et les semaines qui viennent.

7. Faites confiance à ses ressources et rappelez-vous que des changements de perception mineurs peuvent avoir un effet important à moyen terme.

8. Tentez de convenir avec lui d'un moment pour réaliser un suivi. Considérez cependant chaque entretien comme complet en lui-même. De fait, ce sera peut-être le seul.

9. Au besoin, sensibilisez-le à l'importance de se faire accompagner. Si vous n'êtes pas en mesure d'assurer cet accompagnement, dirigez l'aidé vers une autre ressource (centre de santé, psychologue de l'école, programme d'aide aux employés et employées, ressources communautaires, etc.).

Pour diriger l'aidé vers un psychothérapeute, on peut dire simplement:

« Il y a des personnes dont le métier est d'aider les gens qui sont dans ta situation. Tu mettrais toutes les chances de ton côté si tu entreprenais une démarche avec l'une d'entre elles. Peut-être connais-tu certaines de ces personnes. Sinon, je peux t'en recommander quelques-unes. Es-tu ouvert à cette idée ? »

Lorsque l'aidé est consentant, il est préférable de le laisser contacter lui-même la ressource choisie (si cela est possible sur-le-champ), de manière qu'il se sente impliqué dès le début dans la démarche.

■ Quelques illustrations de situations de crise

Dans une situation de crise, l'aidé est désemparé et il n'a pas de solution en vue, ou encore, il est tenté de poser un geste impulsif qui pourrait causer un dommage sérieux à lui ou à ses proches. Pensons à une tentative de suicide lors d'une dépression, à une démission donnée sous le coup de la colère, à la vente rapide d'une propriété à la suite de la mort d'un conjoint...

Dans le cas d'un aidé suicidaire qui manifeste des signes de détresse, voici comment on peut réagir :

« Je te sens très souffrant et très désemparé, et ça m'inquiète de te voir dans cet état-là. J'ai peur que tu te suicides. On va aller à l'urgence et on va attendre le médecin ensemble. D'accord ? »

Dans le cas d'un aidé qui veut remettre sa démission à la suite d'un accrochage avec son patron, on pourra dire :

« Je comprends ta frustration, mais tu sais que la colère est mauvaise conseillère. Peux-tu prendre quelques jours pour laisser retomber la poussière ? On pourrait s'en reparler vendredi. »

Ces exemples font ressortir la différence qui existe entre le contrôle et la confrontation. Le contrôle vise à obtenir ou à empêcher un comportement dans l'immédiat, tandis que la confrontation *invite* le sujet à *reconsidérer* une perception, une idée ou un comportement. Pour illustrer cette distinction, comparons les deux interventions suivantes, par lesquelles une mère cherche à aider sa fille.

Confrontation :

« Deux emplois à temps partiel et des études à temps plein, en plus des sorties régulières avec les copains, c'est de l'action ! Crois-tu que tu vas pouvoir mener ce train de vie toute l'année ? »

Contrôle :

« Tu es toujours au bord des larmes et tu n'es plus capable de t'arrêter. Tu présentes tous les signes d'un épuisement (burn-out). Il faut absolument que tu te fasses aider à reprendre ta vie en main. Je connais trois psychologues : tu as le choix entre les trois et tu en appelles un dès ce soir. »

▪ L'encadrement de l'entretien

Une deuxième forme de contrôle concerne la gestion de la relation avec l'aidé. Dans la relation d'aide informelle, il y a rarement lieu de préciser les objectifs que l'on poursuit. Le sujet s'exprime spontanément, et l'aidant essaie de l'épauler pour qu'il se comprenne et qu'il explore des solutions pour régler son problème.

Cependant, s'il s'agit d'une démarche à plus long terme, il y a parfois lieu que l'aidant en précise brièvement les objectifs, ainsi que son rôle et celui de l'aidé (St-Arnaud, 1998, p. 251-252). En voici un exemple :

« Vous sentez que vous avez besoin d'aide pour vivre votre deuil. Nous pourrions nous rencontrer une fois par semaine. Au fur et à mesure, vous me ferez part de votre vécu ou de ce que vous avez trouvé difficile pendant cette semaine. De mon côté, je vais vous aider à comprendre ce qui se passe et on va voir ensemble comment vous pouvez faire face à tout cela. Est-ce que cela vous convient ? »

Dans bien des cas, de telles précisions ne seront pas nécessaires et la relation se structurera d'elle-même, au fil des interactions entre l'aidant et l'aidé.

Au-delà des objectifs et des rôles, ces interactions sont soumises à une foule de limites ou de codes de conduite, que ce soit sur le plan du temps, du lieu, du langage, etc. Par exemple, l'aidant ne passe habituellement pas une journée complète avec l'aidé et ne l'amène pas à son domicile.

La relation d'aide informelle autorise évidemment des limites plus souples que celles qu'on observe en psychothérapie, notamment à l'égard du lieu et de la durée. Mais, des limites existent et doivent exister et celles-ci relèvent d'abord et avant tout de la responsabilité de l'aidant (Chadda et Slonim, 1998, p. 499). Par exemple, l'aidant peut avoir à déterminer la durée de l'entretien. Il pourra alors dire à l'aidé : « Ça me fait plaisir de t'écouter, mais j'ai seulement vingt minutes. Si tu es d'accord, on s'arrête dans vingt minutes. »

Une fois le temps écoulé, l'aidant déclarera : « On s'était donné vingt minutes et le temps est écoulé. Je suis disponible après-demain à onze heures, si ça te convient. »

Outre les contraintes de temps, il y a aussi les limites de lieu, qui peuvent s'exprimer ainsi :

« Je trouve qu'on n'est pas très à l'aise pour se parler dans le corridor. Que dirais-tu si on allait dans mon bureau ? »

Au-delà de la gestion du cadre de l'entretien, le contrôle peut aussi porter sur son déroulement. Par exemple : « J'aimerais qu'on prenne quelques minutes pour que vous me parliez de votre rencontre d'hier avec le médecin. » Ou encore : « Depuis que vous êtes tombée, vous ne sortez plus. Seriez-vous d'accord pour qu'on examine les visites et les appels téléphoniques que vous recevez ou que vous faites au cours d'une semaine ordinaire ? Cela nous donnerait une idée de la façon dont vous êtes entourée. »

Les interventions décrites dans ces deux derniers exemples débordent la focalisation ou la question fermée portant sur un point précis. Orientant un pan complet sinon la totalité de l'entretien, elles sont plutôt de l'ordre du contrôle.

À la différence du contrôle utilisé dans des situations de crise, le contrôle servant à gérer la relation ne revêt pas le même caractère d'urgence et il est donc plus négociable, plus ouvert aux contre-propositions éventuelles de l'aidé.

▪ Le contrôle par des directives

Une troisième catégorie de contrôle est constituée par des directives concernant le vécu de l'aidé en dehors de l'entretien. Cette forme de contrôle peut porter sur le bien-être du sujet, mais sans revêtir le caractère d'urgence du contrôle propre à la situation de crise. Les directives peuvent aussi concerner l'exploration d'un problème de l'aidé.

Par exemple, l'aidant peut dire à une personne endeuillée qui vit maintenant seule : « Essayez de vous distraire et de rencontrer des personnes avec qui vous vous entendez bien, surtout les dimanches, qui sont d'habitude des journées plus difficiles. Dimanche prochain, par exemple, qu'est-ce que vous pourriez faire ? »

Ou encore, l'aidant peut dire à un aidé qui manifeste une réaction problématique dans certaines circonstances : « La prochaine fois que cela va arriver, essaie de voir comment tu te sens, et essaie d'être attentif aux pensées qui te viennent en tête à ce moment-là. »

L'intervention illustrée dans l'exemple de la personne vivant un deuil pourrait aussi être assimilée à une solution. Les choses ne sont effectivement pas toujours tranchées au couteau et il y a des cas où une même intervention est susceptible d'être classée dans deux catégories différentes.

Dans la majorité des cas, cependant, le contrôle constitue un type d'intervention différent de tous ceux que nous avons examinés jusqu'ici, et il a donc sa place dans le coffre à outils de l'aidant.

▪ La réprobation

Il arrive parfois que l'aidant dicte une ligne de conduite à l'aidé alors que rien ne le justifie. Sous des formes plus ou moins subtiles, ce type de contrôle contient un « il faut » qui méconnaît les valeurs, les résistances ou les difficultés de l'aidé. En voici des exemples : « Il faut que tu te défendes. » Ou au contraire : « Il faut que tu lui pardonnes. » Ou encore : « Il faut que tu parles à ton mari. » Jetons un coup d'œil à un cas vécu.

L'aidée	— Mon conjoint et moi, on a eu une discussion que je n'ai pas aimée, hier. Il m'a dit que si jamais on se sentait attirés par quelqu'un d'autre, on devrait se permettre de vivre ça, même si on s'aime. Moi, ce n'est pas mon genre. Je ne sais pas si je serais capable de le faire.

L'aidant	— Il ne faudrait pas que tu le fasses pour lui faire plaisir. Il faut que tu te respectes. (Contrôle.)

Les interventions apparentées au contrôle présentées ici partent souvent d'une bonne intention : l'aidant se soucie du bien-être de l'aidé, il veut lui éviter des ennuis ou lui faciliter la solution de son problème. Il n'en demeure pas moins qu'on a intérêt à remplacer les interventions de ce type par des interventions plus respectueuses de la liberté de l'aidé et plus susceptibles de lui faciliter l'exploration de son problème. Dans notre exemple, l'aidant aurait pu opter pour de meilleures solutions de rechange comme : « Tu ne te sentirais vraiment pas bien là-dedans. » (Reflet de la résistance.) Ou peut-être : « Tu n'as pas l'impression qu'une relation extraconjugale laisserait ton couple intact. » (Reflet plus en profondeur de la résistance de l'aidée.)

Dans d'autres cas, le contrôle est lié aux valeurs et à la sensibilité de l'aidant, que ce soit face à l'homosexualité, aux relations extraconjugales, à l'avortement, à l'égalité des sexes, aux attitudes religieuses ultraconservatrices, etc. Ce genre de contrôle véhicule toujours une réprobation plus ou moins subtile.

L'exemple suivant montre que l'aidant semble se sentir menacé dans ses valeurs ou dans ses principes par la possibilité que l'aidée opte pour un avortement : « Vous faites ce que vous voulez, mais si vous vous faites avorter, n'allez pas vous imaginer que vous allez vivre ça sans culpabilité. »

La formulation de cette intervention indique que l'aidant évalue négativement l'avortement et qu'il tente de dissuader l'aidée de faire ce choix. Il s'agit donc d'une réprobation. Il y a donc ici un enjeu d'ouverture à soi et de connaissance de soi de la part de l'aidant. Si celui-ci sent que les comportements ou les attitudes de l'aidé heurtent trop les siennes, il doit songer à demander une supervision pour y voir plus clair, ou à diriger l'aidé vers un autre aidant.

En bref

On utilise le contrôle soit pour aider le sujet à surmonter une crise, soit pour structurer et gérer la relation d'aide, soit encore pour promouvoir le bien-être de l'aidé en dehors de l'entrevue ou lui donner une tâche reliée à l'exploration de son problème. Dans les autres cas, on a avantage à remplacer le contrôle par d'autres types d'intervention, surtout le reflet.

Des questions à se poser
avant d'utiliser le contrôle

1. L'aidé est-il dépassé par les événements et la situation revêt-elle un caractère d'urgence ?

2. Si oui, comment puis-je l'amener à éviter d'empirer son sort et à résoudre sa crise ?

3. Y a-t-il lieu de structurer ou de restructurer la relation pour que l'entretien devienne plus convivial et plus productif ?

4. Y a-t-il des directives que je pourrais donner à l'aidé et qui lui permettraient de progresser en dehors de l'entretien ?

5. Le vécu de l'aidé fait-il surgir des différences de valeurs entre lui et moi ? Si oui, ces différences m'amènent-elles à faire pression pour qu'il modifie ses façons de penser ou d'agir ? Si c'est le cas, que dois-je faire pour me resituer dans son cadre de référence ?

Exercice Le partage du patrimoine

En lisant l'entretien suivant, tentez d'identifier au passage les interventions de l'aidante qui représentent des contrôles. Nous préciserons plus bas les directives pour l'exercice.

Séparé de sa conjointe depuis un an, Antoine se confie par téléphone à sa sœur Louise.

Antoine — Je viens d'apprendre que Monique demande le divorce et le partage des biens familiaux. J'ai reçu le papier hier. (*Silence.*)

Louise (1) — As-tu le goût de m'en parler un peu ?

Antoine — Oui. Bien, imagine-toi que je risque d'être obligé de vendre la maison. Je ne vois pas pourquoi je lui donnerais la moitié de mes biens.

Louise (2) — Tu as l'impression que Monique profite de la situation ?

Antoine — Ne me dis pas que tu trouves ça normal ! J'ai investi 10 000 dollars de plus qu'elle par année et aujourd'hui, on se retrouverait au même point tous les deux !

Louise (3) — De ce point de vue, je comprends que tu te sentes lésé. Qu'est-ce que tu as l'intention de faire?

Antoine — Je sais pas. C'est sûr que je vais aller voir un avocat, et s'il peut la lessiver, tant mieux.

Louise (4) — Tu aimerais que Monique perde tout?

Antoine — C'est elle qui le veut.

Louise (5) — Tu m'as dit qu'il était question de partager les biens familiaux...

Antoine (*Après un silence.*) — Donc, tu penses que c'est raisonnable ce qu'elle demande?

Louise (6) — Penses-y. Il y a peut-être des solutions moins extrêmes. Tu as eu le papier aujourd'hui. Donne-toi un peu de temps.

Antoine — Oui, mais ça m'a tellement enragé de lire ce papier-là.

Louise (7) — Oui, je comprends. Mais tu sais que je suis restée proche de Monique. (*Silence.*) Je ne suis peut-être pas la bonne personne pour te conseiller. Je veux bien t'écouter, mais je ne me sens pas objective.

Antoine — D'accord, j'ai tort et c'est elle qui a raison.

Louise (8) — La question n'est pas d'avoir tort ou raison. Si tu veux bien, on oublie ça.

Depuis ce jour, lorsqu'ils se revoient, le frère et la sœur évitent la question du divorce.

Identifiez les six interventions de Louise qui constituent des contrôles et dites de quel type de contrôle il s'agit (situation de crise, encadrement de l'entretien, directive pour une tâche hors de l'entretien, ou réprobation).

Évaluez la pertinence respective de ces six contrôles et reformulez-les au besoin.

Chapitre 15

La résistance

Les objectifs du présent chapitre :

- définir la résistance ;
- présenter ses manifestations les plus fréquentes ;
- examiner ses causes principales ;
- présenter différentes façons d'y réagir.

L'aidé a besoin d'exprimer toutes ses émotions et toutes ses préoccupations. Mais, il se trouve en même temps aux prises avec une tendance contraire : pour éviter son anxiété, il hésite à se confier, et plus profondément encore, il hésite à s'avouer qu'il a peur, qu'il est triste, qu'il se sent coupable, etc.

La démarche de relation d'aide vient activer cette tension entre la tendance à s'exprimer et la tendance à se protéger. Souvent, l'aidé raconte assez spontanément ce qui ne va pas, mais il a plus de difficulté à aller voir sous la surface où cela accroche, pourquoi cela accroche et ce qu'il faudrait faire pour que cela n'accroche plus.

Le terme *résistance* désigne tous les moyens que l'aidé est susceptible de prendre pour éviter de ressentir et d'exprimer les sentiments, les souvenirs ou les idées qui le menacent, et donc pour éviter ou retarder les prises de conscience douloureuses sur son vécu.

Voici quelques exemples de résistance : oublier l'entretien ou l'écourter, se sentir bloqué et n'avoir rien à dire, se réfugier dans l'abstrait ou parler de généralités, faire beaucoup d'humour, questionner l'aidant sur sa vie privée, raconter sa semaine en détail, contredire toutes les interprétations avancées par l'aidant, attendre que celui-ci prenne les choses en main, rendre les autres responsables de ses malheurs, changer d'aidant ou penser à le faire...

Mais, la résistance est un phénomène subtil. Aussi, ce n'est pas parce que l'aidé accepte une confrontation ou une interprétation que sa démarche va nécessairement progresser. À l'inverse, ce n'est pas parce qu'il conteste ces interventions que sa démarche va nécessairement ralentir (Reid, 1999, p. 35). Cela s'explique par le fait que certaines résistances sont bien visibles mais pas très fortes, tandis que d'autres sont plus subtiles mais plus profondes.

■ Les résistances surmontées spontanément

Examinons le cas d'une femme qui a pris beaucoup de poids et qui ne peut pas s'empêcher de manger.

L'aidée	— Je n'aime pas mon physique, c'est sûr, mais je ne sais pas pourquoi je me laisse aller comme ça. Je n'étais pas comme ça avant.
L'aidante	— Qu'est-ce qui te pousse à manger tout le temps ?

L'aidée	— On dirait que ce sont toutes les émotions, bonnes ou mauvaises. Je ne sais pas où tout ça va me mener.
L'aidante	— As-tu une idée de ce qui a pu se passer pour que tu changes comme ça ?
L'aidée	(*Silence.*) Je ne sais pas trop. (*Silence.*) Tu sais, mon mari est un grand colérique. Toutes les fois qu'il fait une crise, il menace de me battre. Il ne le fait jamais, mais ça me fait peur...

On observe ici de nombreuses résistances. L'aidée dit ne pas savoir pourquoi elle agit comme elle le fait, elle se tait à deux reprises, puis elle affirme ne pas savoir ce qui se passe dans sa vie.

En même temps qu'elle résiste, cette personne réussit, toutefois, à surmonter ses résistances. Elle admet qu'il se passe quelque chose dans sa vie : « Je n'étais pas comme ça avant. » Puis, elle formule ses problèmes, en parlant d'« émotions mauvaises ». Elle exprime son inquiétude : « Je ne sais pas où tout ça va me mener. » Enfin, après quelques hésitations, elle passe du problème formulé « je ne peux pas m'empêcher de manger » au problème réel « mon mari est très colérique ».

Cet exemple aide à comprendre qu'en règle générale les aidés font des efforts pour exprimer ce qu'ils ressentent et ce qui les préoccupe. Si des résistances surviennent en cours de route, beaucoup d'entre elles sont surmontées avec la même spontanéité.

■ Les causes de la résistance

Différentes causes peuvent provoquer une résistance. Nous en examinerons les principales.

■ L'atteinte à l'image de soi

L'anxiété est la cause majeure de la résistance et elle survient souvent lorsque l'aidé se sent menacé dans son image de soi par des événements extérieurs ou par ses propres émotions.

L'image de soi est constituée de l'ensemble des perceptions et des croyances que l'aidé entretient à propos de lui-même : il se voit doté de tel physique, se reconnaît telles ressources et telles qualités, s'identifie à telles relations et à telles possessions, s'attribue tels goûts et tels intérêts, évolue selon tel statut et dans tels rôles...

Ainsi structurée, l'image de soi devient le point de repère qui lui permet de dégager un sens du flot de ses émotions et de ses expériences, et de s'orienter dans ses décisions quotidiennes.

Or, une émotion ou une expérience qui contredit l'image de soi devient source d'inconfort. Prenons le cas d'un homme qui se perçoit depuis vingt ans comme un époux fidèle et qui éprouve un attrait soudain pour une autre femme. La résistance prendra alors chez lui les formes énumérées plus haut, ou celle de la négation pure et simple et il se dira: «Je ne suis pas vraiment attiré par cette femme. Je veux seulement lui rendre service.»

■ La peur du rejet

L'image de soi possède aussi une dimension sociale: on doit se comporter et réagir d'une façon acceptable, non seulement à ses propres yeux, mais aussi aux yeux des autres.

Dans la relation d'aide, *les autres* sont représentés par l'aidant. L'aidé hésite donc à lui révéler ses faiblesses, ses désirs de vengeance, ses désirs sexuels, sa peur... (Greenberg et Elliott, 1997, p. 183.) Sera-t-il compris ou sera-t-il perçu comme infantile, malhonnête ou immoral?

■ Les gains reliés au *statu quo*

Tout problème présente une menace pour l'organisation de notre vie. Or, nous avons justement organisé celle-ci pour en retirer le maximum de bénéfices aux moindres coûts. Dans la mesure où la solution d'un problème requiert un changement, nous serons donc portés à résister à ce changement dans le but de maintenir nos acquis et de continuer à limiter nos pertes ou nos coûts.

Ce phénomène se traduira par ce qui apparaîtra extérieurement comme un manque de motivation à changer, comme une difficulté à passer à l'action. «Il faudrait bien que je parle à mon patron», «Il faudrait bien que je m'occupe davantage de ma fille», «Il faudrait que je fasse plus d'exercice», etc.

La personne qui parle ainsi sait ce qui serait bon pour elle *en principe*, mais quand vient le temps de passer à l'action, les résistances surgissent. Elle hésite face aux coûts ou aux risques rattachés au changement et elle fait quelque chose de bien humain: elle protège ses acquis...

■ La réaction à une prise de conscience

Rogers (1970, p. 206) fait remarquer qu'«après que le client est parvenu à une nouvelle perception particulièrement vitale, on doit s'attendre à une rechute momentanée». Intimidé par sa prise de conscience, l'aidé a le réflexe d'en limiter la portée, comme s'il voulait se prémunir contre les implications de cette admission.

En voici un exemple. Une aidée exprime ses insatisfactions à l'endroit de son conjoint et l'aidante note : «Elle a semblé se défouler en parlant ; sa voix est devenue plus forte, laissant transparaître beaucoup de colère.» Mais, déstabilisée par cette colère qui était peut-être réprimée depuis longtemps et qui vient menacer l'équilibre de son couple, l'aidée tente de minimiser ce qu'elle vient d'exprimer. Elle termine l'entretien en disant qu'au fond elle n'est pas si malheureuse, que tout est dans sa tête et qu'elle amplifie son problème.

Cette résurgence des résistances n'est habituellement que momentanée, et lorsqu'il a repris son souffle, l'aidé continue à progresser dans l'exploration de son problème.

■ Le désir d'autonomie

La résistance de l'aidé s'explique aussi, parfois, par le simple fait qu'il estime avoir terminé son exploration pour l'instant, et qu'il a cessé de percevoir la relation d'aide comme stimulante pour lui.

Cette résistance, qui prend la forme d'une baisse de motivation face aux entretiens, exprime le désir de l'aidé de terminer une relation qui s'approche effectivement de son terme, et de voler désormais de ses propres ailes.

■ La résistance à une erreur de l'aidant

Enfin, plusieurs résistances sont attribuables à des erreurs ou à des maladresses de l'aidant (Scaturo, 2005, p. 53). Celui-ci peut intervenir hors de propos, blâmer l'aidé sans s'en rendre compte, lui présenter une interprétation erronée ou prématurée, l'orienter vers une solution qui ne lui convient pas, etc.

L'aidé pourra se limiter à contredire poliment l'aidant («Oui, mais...»), tandis que des erreurs plus sérieuses de la part de ce dernier pourront entraîner une baisse de l'implication de l'aidé.

Enfin, il n'y a pas seulement les erreurs de l'aidant qui peuvent entraîner une résistance. L'aidé peut aussi réagir au style de l'aidant, perçu à tort ou à raison comme trop direct ou au contraire trop passif, trop jeune ou trop vieux... (Ellis, 2002, p. 38.) L'aidant doit donc demeurer vigilant pour capter tout phénomène susceptible d'affecter sa relation avec l'aidé.

■ La résistance comme mécanisme de régulation

La résistance est un mécanisme de protection. Pour assurer son bien-être, le sujet doit sauvegarder la stabilité de son image de soi et de ses mécanismes d'adaptation habituels. Par ailleurs, il lui faut aussi explorer le problème qui affecte maintenant son bien-être et mobiliser ses ressources pour le régler. Sa résistance doit donc être à la fois respectée et surmontée.

Cette façon de voir favorise une attitude d'empathie et d'accepta-tion. En effet, nous avons plus de chances de nous montrer patients si nous concevons la résistance non pas comme « les moyens que l'aidé prend pour éviter ce qui le dérange », mais comme « le temps dont il a besoin pour s'apprivoiser à ce qui le dérange et aux changements qui s'imposent ». Cela rejoint la position de Kovitz (1998, p. 110), qui considère la résistance comme un droit de l'aidé.

■ Les réactions possibles de l'aidant

Face à un aidé qui vit une résistance, l'aidant a le choix entre plusieurs possibilités. En voici quelques-unes.

■ Noter mais ne pas intervenir

On a vu l'importance du silence comme outil majeur de la relation d'aide. En présence d'une résistance, l'aidant peut se limiter à enre-gistrer le fait que l'aidé est en train de contrôler son anxiété ou de protéger ses acquis et de s'apprivoiser à ce qui le menace.

L'aidant peut aussi profiter de ce silence pour tenter de comprendre plus précisément de quoi l'aidé se protège et comment il se protège. Cela lui permettra d'intervenir par la suite d'une façon plus appropriée.

■ Offrir un soutien léger

L'aidé n'a parfois besoin que d'une brève intervention de l'aidant pour surmonter sa résistance et poursuivre son exploration. Cette inter-vention pourra prendre la forme d'un reflet chaleureux. Par exemple :

«Ce n'est pas facile de parler de ça, n'est-ce pas?» Ou bien après un reflet, une focalisation ou une confrontation un peu corsés: «Je te fais travailler beaucoup, n'est-ce pas?»

■ Accepter le fait ou apporter des diversions temporaires

Un aidant efficace serre habituellement de près l'aidé, par des reflets précis et pénétrants et par des focalisations bien ciblées. Ces interventions maintiennent une légère pression sur l'aidé, de manière à le garder productif dans son exploration.

Mais, si l'aidant sent que la résistance est plus profonde, il peut enlever cette pression, par exemple en acceptant que l'aidé change de sujet ou de degré d'implication ou en réorientant lui-même l'exploration vers un contenu moins menaçant.

Ainsi, au lieu d'exprimer par sa physionomie et sa posture qu'il est attentif et concentré, l'aidant peut plutôt laisser entendre à l'aidé qu'il est conscient que ce dernier a fait son possible pour avancer sur cette question, et qu'il pourra y revenir à un autre moment.

■ Se centrer sur la résistance

L'aidant peut aussi essayer d'aider le sujet à surmonter sa résistance au moyen d'un reflet, d'une focalisation, d'un soutien, d'une interprétation ou d'une confrontation. Par exemple, il pourra simplement dire: «Je sens que tu n'as pas trop envie de parler de ça, mais tu sais, plus tu t'exprimes, plus nous serons capables d'avancer ensemble.» Ou encore: «On parle beaucoup, mais je ne suis pas sûr qu'on avance vraiment. Sais-tu pourquoi?»

■ Prévenir la résistance

Pour éviter de susciter des résistances additionnelles chez l'aidé, il est souvent bon, lorsqu'on cherche à lui faire prendre conscience d'un sentiment potentiellement menaçant pour lui, d'atténuer les termes qui viennent alors à l'esprit. Par exemple, plutôt que de dire: «Ça te fait peur», il est préférable de dire: «Il y a quelque chose qui te rend mal à l'aise là-dedans.» Ou encore, plutôt que: «Ça te met en colère quand elle dit ça», on pourra dire: «Il y a quelque chose que tu n'aimes pas quand elle parle comme ça.»

Ces adoucissements ne seront que temporaires, puisqu'il s'agit bien sûr d'aider le sujet à prendre réellement conscience de ses sentiments, et non de les maquiller. Mais l'approche décrite, suivie de reflets progressivement plus précis, et accompagnée au besoin de soutiens légers, permet à l'aidé de s'apprivoiser progressivement à son vécu.

En voici un exemple. Après avoir été agressé par un bénéficiaire agité, un préposé dans un centre de soins de longue durée a obtenu qu'on lui adjoigne un collègue. Mais, il vient d'apprendre que le poste de ce dernier a été aboli et qu'il se retrouvera de nouveau seul le soir dans son service.

L'aidante	— Ça semble t'inquiéter de devoir recommencer à travailler seul.
L'aidé	— Non, non, ce n'est pas ça...

Plus loin dans l'entretien, l'aidante dit au préposé : « Ça ne doit pas être facile de te retrouver dans cette situation... »

Dans sa seconde intervention, l'aidante évoque de nouveau la peur qu'elle décèle chez le préposé, mais plus délicatement, en même temps qu'elle donne habilement un léger soutien.

Cette fois, elle prévient les résistances, et l'aidé exprime ses craintes.

■ Une bonne synthèse : le cas de Joël

Pour aider le sujet à surmonter ses résistances, nous devons mobiliser toutes nos ressources : écoute et vigilance de tous les instants, maniement habile de nos outils d'intervention, créativité et inspiration. L'exemple suivant, tiré d'un rapport d'une aidante en formation, illustre bien cette synthèse :

« Joël, un ami de mon fils, me demande s'il peut venir jouer avec celui-ci. Je lui dis que mon fils est parti faire une course avec son père et je l'invite à l'attendre à la maison. »

Joël	— Qu'est-ce que tu fais ?
L'aidante	— Je suis en train d'emballer le cadeau de Martin, mais ne lui dis pas ce que c'est, c'est un secret.
Joël	(Il garde le silence, avec un air triste.)
L'aidante	— Tu as l'air triste, Joël, il y a quelque chose qui ne va pas ?
Joël	— Non, ça va. (Il hésite.) Tu n'es pas la seule à avoir un secret. Moi aussi, j'en ai un.

L'aidante	— Ah oui ? Maintenant que je t'ai dit mon secret, tu peux me dire le tien, toi aussi.
Joël	(*Troublé.*) — Je ne peux pas.
L'aidante	— Qui a dit que tu ne peux pas ?
Joël	— C'est une grande personne.
L'aidante	— Pourquoi tu ne veux pas en parler ?
Joël	— La grande personne m'a dit de ne pas en parler, que sinon, j'aurais de gros problèmes.
L'aidante	— Tu peux m'en parler, je suis ton amie.
Joël	(*Long silence.*) — La grande personne m'a fait des choses, des caresses, puis... d'autres affaires...
L'aidante	— Pas des caresses comme ton père ou ta mère te font ?
Joël	(*En rougissant.*) — Non, non, ce n'est pas pareil. Jacques, le garçon qui vient me garder, a mis sa main dans ma culotte et il n'arrêtait pas de me toucher. Il n'arrêtait pas de dire que je ne devais en parler à personne, que c'était un secret.
L'aidante	— Je pense que Jacques t'a fait beaucoup de peine et qu'il n'a pas le droit de te faire des choses comme ça.
Joël	(*En pleurant.*) — Mais c'est un secret. Il faut garder les secrets. Tu m'as dit tantôt qu'il ne faut pas en parler.
L'aidante	(*Prend le petit garçon dans ses bras.*) — Oui, mais il faut parler aux grandes personnes des secrets qui nous rendent malheureux.

L'aidante ajoutera le commentaire suivant :

« Je suis contente de ma relation d'aide. J'ai pu aider Joël. Il a beaucoup pleuré et il s'est senti très soulagé après cet échange. Avec sa permission, je suis allée avec lui rencontrer sa mère, qui a déposé une plainte contre le gardien. »

Cette aidante a bien manœuvré, car en plus d'une très bonne écoute, elle a maintenu la pression nécessaire pour que l'aidé exprime ce qu'il hésitait beaucoup à communiquer et cela, tout en établissant un lien chaleureux avec lui.

Un thérapeute rappelle à juste titre que la résistance n'est pas réservée au domaine de la relation d'aide, mais qu'elle fait partie intégrante de la condition humaine (Ellis, 2002, p. 26). Comme l'aidante de Joël, c'est donc avec beaucoup d'humanité qu'il faut accompagner dans leurs résistances les personnes qui se confient à nous.

La résistance est l'ensemble des moyens que prend l'aidé pour se protéger de ce qui le menace, qu'il s'agisse d'émotions pénibles, de la crainte d'être jugé ou de la peur de l'inconnu reliée au changement. Au cours de l'entretien, les résistances sont souvent dépassées aussi spontanément qu'elles surgissent. À d'autres moments, toutefois, ce sont nos interventions habiles et variées qui permettront à l'aidé de les surmonter.

Des questions à se poser en présence d'une résistance

1. Suis-je à l'origine de cette résistance (en intervenant trop ou d'une façon malhabile, en blâmant ou en ayant l'air de blâmer l'aidé, etc.) ?

2. De quoi l'aidé se protège-t-il ?

3. Est-ce que le ton de ma voix, ma physionomie et la formulation de mes interventions réussissent à lui communiquer qu'il est normal de se protéger comme il le fait ?

4. Dois-je accepter cette résistance et relâcher momentanément ma pression, ou dois-je plutôt la maintenir pour que l'aidé exprime ce qu'il éprouve ?

Exercice Les résistances de Charles

André, 11 ans, dit à sa mère qu'il est invité à passer la fin de semaine chez Charles, son meilleur ami, avec qui il est en train de jouer. Sa mère lui répond qu'elle va appeler la maman de Charles. Ce dernier semble contrarié et sort en claquant la porte. La mère d'André le rattrape alors qu'il est sur le point de partir à bicyclette.

La mère — Qu'est-ce qui se passe, Charles ?

Charles (*Silence, veut s'en aller.*)

La mère (*Retient doucement la poignée de la bicyclette.*) — Est-ce qu'il y a quelque chose que tu aimerais me dire ?

Charles — Ma mère ne sera pas là. Elle n'habite plus avec nous.

La mère — C'est un gros secret que tu gardais pour toi.

Charles — Oui, je ne l'ai pas encore dit à André.

La mère — Tu as peur que les gens te voient d'une façon différente parce que tes parents sont séparés ?

Charles — Oui. (*Silence.*) Vas-tu laisser quand même André venir chez mon père en fin de semaine ?

La mère — Oui, bien sûr. Tes parents se sont séparés, mais pour nous, tu restes toujours Charles.

Charles (*Sourit, range sa bicyclette et rentre dans la maison.*)

Identifiez chacune des six interventions de l'aidante et formulez un ou deux brefs commentaires sur l'ensemble de ses interventions.

Qu'auriez-vous fait si à la deuxième question de l'aidante (« Est-ce qu'il y a quelque chose que tu aimerais me dire ? »), l'aidé avait répondu « non » ?

Chapitre 16

La croissance de l'aidant

L'objectif du présent chapitre :

- offrir à l'aidant des pistes variées pour l'aider à acquérir ses compétences professionnelles.

Tirer parti de notre inconfort

L'inconfort est une sensation souvent confuse que nous éprouvons lorsque quelque chose nous dérange et nous empêche de nous investir totalement dans la situation présente.

Dans certains cas, nous savons bien ce qui se passe. Dans d'autres cas, par contre, l'interférence est floue et notre sentiment latent demeure non identifié. Cet inconfort tend à nous rendre moins empathiques, ce qui a pour effet de diminuer la pertinence, la délicatesse et donc le succès de nos interventions. Lorsque cela survient, nous suggérons la démarche suivante, inspirée en partie de Hays (2001, p. 31) :

1. Demeurer attentifs à nos signes d'inconfort : tensions musculaires, changements de posture, froncements de sourcils, distractions plus nombreuses et envie d'être ailleurs, coups d'œil furtifs à notre montre, etc.

2. Prendre (discrètement !) une grande respiration, ce qui devrait nous aider à prévenir des réactions inappropriées, comme décrocher ou, au contraire, parler beaucoup et faire la morale, confronter durement et hors de propos, faire une interprétation prématurée et hors de portée de l'aidé, etc.

3. Utiliser les indices que l'on a décelés pour identifier plus précisément la nature de notre inconfort : Impatience ? Peur ? Frustration face au sentiment de tourner en rond ? Reproche inconscient à l'aidé ? Sentiment de nous faire manipuler ? Et ainsi de suite.

4. Tenter de préciser l'origine et le bien-fondé du sentiment que nous éprouvons. Quels sont les comportements ou les attitudes de l'aidé qui nous rendent impatients ? De quoi avons-nous peur ? Notre sentiment que l'aidé ne progresse pas est-il justifié ? Que lui reprochons-nous au juste ? S'il nous manipule, le fait-il consciemment ? Et ainsi de suite.

Cette démarche intérieure devrait normalement nous mener à la conclusion que l'aidé fait ce qu'il peut avec ce qu'il est, et donc nous remettre en contact avec notre empathie à son endroit.

Notre passé et nous

L'inconfort engendré à l'occasion par la situation n'est qu'une partie du problème, car ce qui contribue à rendre la relation d'aide dérangeante, c'est bien souvent le fait que nos propres peurs et nos propres fragilités se trouvent réactivées au contact du vécu de l'aidé, entraînant alors la mise en branle de nos propres mécanismes de défense.

En effet, qu'on le veuille ou non, le vécu de l'aidé se trouve toujours campé sur l'arrière-fond de notre propre histoire, celle de notre enfance et de notre jeunesse, celle de notre couple et de ses crises, celle de l'échec de certains de nos projets et de la perte de certains de nos rêves, celle de nos deuils et de nos conflits avec nos parents ou nos enfants...

En interagissant avec nous, l'aidé revit forcément une partie de son histoire, notamment dans ses relations avec l'autorité, et il ne peut faire autrement que de recourir aux mécanismes d'adaptation qu'il a appris à mettre en œuvre très tôt dans sa vie. C'est ce qu'on appelle le transfert. Mais, l'inverse est également vrai, et nous abordons nous aussi l'entretien avec tout ce que la vie a fait de nous jusqu'ici, avec nos vulnérabilités et nos stratégies de survie, ce qui correspond à un contre-transfert.

Ce chassé-croisé de nos deux histoires a donc de quoi nous tenir en alerte, surtout quand nous sentons un inconfort s'installer en nous durant l'entretien. Il y a là un défi permanent sur le plan de l'ouverture à notre propre expérience et si nous devons tendre une oreille très attentive au vécu de l'aidé, nous devons prêter en tout temps une autre oreille attentive à notre propre univers affectif.

▪ Le stress secondaire

Un danger nous guette si nous pratiquons le métier d'aidant sur une base régulière, un danger que l'on nomme parfois le *stress secondaire*. L'expression possède plusieurs synonymes: fatigue ou usure de compassion, épuisement professionnel, endurcissement, traumatisme vicariant ou secondaire...

L'expression stress secondaire est évocatrice, car elle fait référence au phénomène mieux connu de la fumée secondaire qui compromet la santé des non-fumeurs au même titre que celle des fumeurs. Voici comment on décrit ce phénomène dans le très bon guide sur le sujet publié par Santé Canada (2001) : « On subit un traumatisme vicariant en ressentant le témoignage d'atrocités commises à l'endroit d'une autre personne. Par empathie, on voit, sent, entend, touche et ressent la même chose que la victime, en écoutant celle-ci raconter ses expériences en détail. »

L'auteure précise que ce stress secondaire «s'introduit insidieusement dans l'existence du conseiller et qu'il en résulte souvent de la confusion, de l'apathie, de l'isolement, de l'anxiété, de la tristesse et de la maladie» (p. 8).

Il est question ici de *trauma*, c'est-à-dire de choc violent. Mais par extension, on peut appliquer le concept de stress ou de souffrance secondaire à l'aidant qui accompagne des personnes qui n'ont pas nécessairement été victimes ou témoins de violence physique, mais qui sont malmenées par la vie. Comme si le fait d'en être le témoin proche amenait l'aidant à devenir à son insu partie prenante de ce corps à corps poignant de l'aidé avec sa souffrance.

Étant donné que cette souffrance secondaire risque de produire des changements *subtils et profonds,* nous avons intérêt à surveiller le niveau et la qualité de notre stress. En effet, en doses contrôlées, le stress est positif, car il est synonyme de l'énergie qui nous habite. Mais le stress dont on a perdu le contrôle peut nous détruire. Le *Guide* présente à cet effet deux séries de descripteurs, dont nous donnons ici de larges extraits:

1. Descripteurs de stress positif : facilité de concentration, rigueur dans le travail, esprit de collaboration, résolution de problème efficace, entrain, souci d'autrui, sens de l'humour, bonne gestion du temps, clarté de la pensée, degré élevé de motivation, capacité de faire et de recevoir des critiques constructives... (p. 37).

2. Descripteurs de stress excessif : difficultés de concentration, trous de mémoire, mauvaises décisions, anxiété, mauvaise gestion du temps, faible estime de soi, résolution de problèmes inefficace, manque de rigueur dans le travail, perte du sens de l'humour, tendance à être colérique et à dénigrer, comportements imprévisibles, fatigue, sautes d'humeur, perte d'intérêt pour son travail... (p. 38).

Pour maintenir son stress à un niveau optimal, il faut prendre soin de soi, et le *Guide* nous rappelle les stratégies les plus efficaces à cet effet, dont voici les principales: manger des aliments sains, faire de l'exercice, prendre des vacances, se réserver des périodes de calme, tenir un journal, se réserver du temps pour des activités sexuelles, dormir suffisamment, obtenir périodiquement de la super-vision ou des consultations, rechercher l'équilibre entre le travail, la famille, les relations sociales, les loisirs et le repos, passer du temps en pleine nature, accepter de ne pas tout savoir, passer du temps avec les enfants... (p. 31-33.) Chacun pourra compléter la liste à l'aide de ses stratégies préférées. Nous y reviendrons d'ailleurs dans l'un des exercices proposés à la fin du présent chapitre.

En 2006, la filiale montréalaise de l'Association canadienne pour la santé mentale a d'ailleurs organisé un colloque sur le thème *La fatigue d'être intervenant*. À cette occasion, quatre intervenants expérimentés ont livré des réflexions pertinentes sur les risques qu'entraîne le fait de prendre soin des autres. (Voir en particulier dans la bibliographie la référence aux communications de Marie Alderson, Lucie Biron, Christine Perrault et Jacques Rhéaume.)

Le fait de côtoyer la misère humaine n'est cependant pas une expérience totalement négative. Cette expérience peut aussi nous faire toucher du doigt la résilience, la générosité et le courage de bien des personnes que l'on accompagne, de même que la beauté parfois touchante des guérisons qu'elles peuvent vivre. Nous en ressortons alors plus forts et plus capables d'empathie, davantage réconciliés aussi avec la condition humaine.

▪ Le pluralisme ethnique et culturel

Nos sociétés sont de plus en plus multiethniques et multiculturelles, ce qui entraîne des conséquences concrètes sur la relation d'aide. Par exemple, un aidant qui a grandi dans la culture nord-américaine a bien des chances de valoriser l'autonomie individuelle, l'affirmation de ses besoins et la réalisation de soi. Face à lui, un aidé d'une autre culture pourrait valoriser, au contraire, la prépondérance des valeurs familiales sur l'indépendance individuelle, le respect des parents et des grands-parents et de leurs attentes, ainsi que le respect des codes sociaux plutôt que l'affirmation de soi.

On pourrait aussi trouver dans plusieurs cultures un certain stoïcisme, c'est-à-dire une tendance à supporter les contrariétés sans se plaindre, ce qui n'est pas de nature à encourager l'aidé à s'engager spontanément dans une démarche de relation d'aide. Dans la même ligne de pensée, plusieurs cultures valorisent la réserve face aux émotions et le respect de l'intimité personnelle. Dans un tel contexte, le seul fait de demander: «Comment vous sentez-vous présentement?» peut être perçu comme une intrusion.

Nous devons donc nous ouvrir aux différences culturelles et acquérir l'habileté à les décoder, au besoin en nous faisant aider par une personne d'autre culture, et adapter nos interventions en conséquence. Cela pourrait impliquer, au moins au début de l'entretien, moins de reflets précis, moins de focalisations pointues, moins de confrontations, et plus de soutien, de contrôles et de suggestions de solution. Cela, dans la mesure où la culture de l'aidé valorise le respect de l'autorité. Dans un tel contexte également, en multipliant les silences et les reflets, nous risquerions d'être perçus comme passifs et peu intéressés, voire incompétents. Une fois la relation de confiance établie, nous pourrons alors remettre progressivement à l'aidé le contrôle de son exploration (MacDougall, 2002).

Certains enjeux risquent d'être soulevés par l'aidé, comme la gestion des tensions familiales et des tensions avec les beaux-parents dans un couple interracial, la gestion des tensions liées à l'émancipation de la femme, ainsi que la gestion des tensions entre les générations (grands-parents, parents et enfants) dans certaines familles de cultures différentes (Nelson-Jones, 2002).

Les différences culturelles influent aussi sur le non-verbal, qu'il s'agisse de la proximité physique, du fait de regarder continuellement l'aidé dans les yeux lorsqu'on s'adresse à lui, ou encore de faire beaucoup de gestes. Dans certaines cultures, la proximité et le contact physiques, de même qu'une gestuelle ample, sont monnaie courante, tandis que dans d'autres cultures, les mêmes gestes sont perçus comme des intrusions et un manque de savoir-vivre. Voilà de beaux défis à relever pour un aidant dit *de souche* qui veut affiner sa sensibilité et acquérir de l'expertise.

Enfin, on doit considérer comme un *trauma* le fait d'être victime d'un incident raciste, surtout, bien sûr, s'il implique une agression physique. Le fait d'être victime à répétition de certaines formes de racisme culturel, voire institutionnel, peut aussi avoir des conséquences sérieuses et durables sur le sujet : impact sur l'estime de soi, sur le sentiment de sécurité, sur la vision du monde (désormais perçu comme hostile), évitement de certains lieux, de certaines personnes et de certaines situations… Il devient alors opportun d'examiner l'ensemble de l'expérience des incidents racistes dont l'aidé a souffert et leurs impacts éventuels sur sa vie (Wade, 2005, p. 539-540).

▪ Les compétences personnelles et professionnelles

On dit souvent que, dans la relation d'aide, notre principal outil de travail, c'est nous-mêmes. Nous sommes donc conviés à acquérir nos compétences personnelles au fil du temps. Pour nous remettre en mémoire les différents enjeux de ce vaste chantier, énumérons quelques-unes de ces compétences : flexibilité et adaptation au changement, aptitude à bien communiquer, perspicacité et jugement, esprit de synthèse, curiosité intellectuelle, confiance en soi et capacité de faire confiance aux autres (pour une analyse plus complète de ce vaste champ des compétences personnelles, voir le document de l'Ordre professionnel des travailleurs sociaux du Québec, cité dans la bibliographie). Toutes ces compétences s'acquièrent, si l'on est suffisamment motivé, attentif et persévérant.

Quant aux compétences professionnelles, outre la supervision, les activités de formation structurées (conférences, colloques et ateliers) et les échanges entre collègues, la façon la plus efficace de les acquérir consiste à effectuer des lectures personnelles.

Les périodiques spécialisés tels que la *Revue québécoise de psychologie* constituent un bon point de départ à cet effet. À surveiller aussi d'une façon particulière les volumes ou les articles portant sur les problématiques suivantes : le vieillissement, l'accompagnement des mourants et des endeuillés, la relecture de vie, la violence domestique, la prévention du suicide, la toxicomanie et la santé mentale.

En bref

Nous avons présenté cinq problématiques qui ouvrent des pistes de croissance susceptibles de faire de nous de meilleurs aidants. En explorant ces pistes au fil de l'expérience que nous accumulerons, nous en viendrons à mieux nous connaître et à être davantage en mesure d'établir un rapport productif avec les aidés. Nous serons également plus à même de tirer parti de notre inconfort, de composer avec le stress secondaire engendré par notre travail, et nous serons aussi en meilleure position pour relever les défis spécifiques posés par les clientèles issues des communautés culturelles. Chemin faisant, nous en viendrons à acquérir les compétences personnelles et professionnelles qui feront de nous à la fois de meilleures personnes et des aidants plus efficaces. Tout ceci, par essais et erreurs, bien sûr, en y mettant le temps et la détermination nécessaires.

Des questions à se poser pour mettre en œuvre des stratégies personnelles de gestion du stress

1. Comment les effets nocifs du stress se manifestent-ils chez moi ? (Revoyez au besoin certains des indices présentés dans l'encadré, à la page 164, et complétez à partir de votre expérience personnelle.)

2. Quelles sont les trois choses que j'ai faites la semaine dernière pour prendre soin de moi, et les trois choses que je souhaiterais faire dans le même but la semaine prochaine ?

3. Ces activités répondent-elles au besoin de prendre soin de moi physiquement ? Affectivement/mentalement ? Socialement ? Spirituellement ? Sinon, quelles sont les activités auxquelles je pourrais m'adonner à cet effet ?

(Les réponses à ces questions peuvent faire par la suite l'objet d'un échange entre les participants.)

Exercice 1   Les sentiments fréquents

Ce dernier exercice n'a pas de rapport avec le présent chapitre, mais il vise à consolider l'habileté à faire de bons reflets, habileté qu'il faut toujours tenter de consolider de multiples façons.

La langue française contient quelques milliers de mots et d'expressions pour traduire les différents états émotifs que nous éprouvons de temps à autre. Ces états émotifs varient considérablement selon des nuances et des degrés d'intensité plus ou moins subtils.

Pour bien utiliser le reflet, il faut donc employer les termes appropriés, et c'est souvent une question de vocabulaire qui fait la différence entre un reflet précis et efficace et un reflet émoussé qui risque de demeurer sans effet.

L'exercice proposé vise à sensibiliser le lecteur à des états émotifs fréquents et à développer son habileté à les nommer avec précision. Il peut se faire individuellement, ou en groupe.

On distingue souvent six émotions de base, soit la *peur,* la *colère,* la *tristesse,* la *surprise,* le *dégoût* et la *joie.* Plusieurs adjectifs traduisent différentes facettes de ces émotions de base, comme l'indique l'exemple suivant :

Peur	Colère	Tristesse	Surprise	Dégoût	Joie
inquiet	agressif	peiné	étonné	écœuré	content
méfiant	fâché	abattu	saisi	amer	satisfait

Afin de permettre au lecteur de se familiariser avec le vocabulaire requis pour bien utiliser le reflet, une liste de l'annexe I, à la page 173, propose quelque deux cent soixante-quinze mots qui traduisent les états émotifs les plus fréquents.

Il s'agit de trouver dans cette liste huit termes qui traduisent des sentiments fréquents mais *différents* des six émotions de base énoncées plus haut, et différents aussi des états émotifs apparentés à ces émotions de base. Par exemple, on pourrait choisir les mots *objectif, compétent, conciliant.*

Une fois cette étape terminée, il s'agit alors de comparer les réponses fournies dans le corrigé et qui correspondent à des états émotifs fréquents chez les gens qui s'engagent dans une relation d'aide.

Conclusion

▪ Avant de passer à l'action

Le temps est venu de rappeler à grands traits l'essentiel du parcours que nous avons accompli ensemble, en prévision de vos prochains entretiens sur le terrain. À quelques reprises, nous avons distingué, d'une part, entre les grandes habiletés (écoute empathique et formulation du problème) et les outils majeurs (silence, reflet-reformulation et question ouverte) et d'autre part, les outils d'appoint (question fermée, soutien, interprétation, recherche de solution, implication et contrôle). La confrontation peut, quant à elle, être classée dans les outils majeurs ou d'appoint, selon l'utilisation que l'on en fait.

Reprenons maintenant l'essentiel de ce parcours sous forme de conseils applicables autant à l'entretien imprévu, qui ne durera que quelques minutes, qu'à l'entrevue plus formelle.

1. Demandez-vous : « Dans tout ce que l'aidé me dit, verbalement et non verbalement, quel message *parle le plus fort* et aspire le plus à être entendu ? »

2. Au fil des confidences de l'aidé, essayez de formuler mentalement ce qui vous apparaît comme son problème principal, au-delà de l'intensité de ses émotions, de l'abondance de ses verbalisations ou de sa résistance à se dire.

3. Tout au long de l'entretien, guidez-vous sur cette formulation pour faire vos interventions. Revoyez-la, au besoin, à la lumière de ce que l'aidé continuera à vous livrer en cours de route.

4. Utilisez le modèle des trois étapes pour déterminer le besoin dominant de l'aidé : a-t-il surtout besoin de se dire, de se comprendre, d'élaborer des scénarios de solution ?

5. N'intervenez pas trop souvent et faites-le brièvement. Respectez le rythme de l'aidé et ses silences, mais utilisez le reflet et la focalisation pour maintenir sur lui une pression légère tout au long de son exploration.

6. Au besoin, ayez délicatement recours à une confrontation ou à une interprétation, ou, plus rarement, faites une brève référence à votre vécu (surtout à votre vécu du moment) pour activer le processus exploratoire.

7. Demeurez à l'affût des réactions de l'aidé, qui vous renseigneront sur la pertinence de vos interventions et qui vous diront si vous devez maintenir votre pression ou la relâcher provisoirement (au besoin en offrant un léger soutien verbal).

8. Formulez mentalement votre intervention avant de la faire, pour vérifier si elle est suffisamment claire et brève. Tentez, si cela est possible, de prévoir son impact.

9. Une fois l'entretien terminé, revoyez mentalement vos interventions pour en évaluer la pertinence et déterminer comment vous pourrez améliorer votre approche à la prochaine occasion.

10. Une excellente façon de progresser est de discuter de vos interventions avec un collègue, ne serait-ce que de façon informelle. Si une telle possibilité se présente, ne la ratez pas.

Il vous reste à apprécier la chance que vous avez de recevoir les confidences d'autrui et le privilège qui vous est fait de l'aider à se dire, à mieux se comprendre et à mieux s'accepter, ainsi qu'à relever sagement et courageusement les défis qu'il doit affronter...

Annexe 1

Liste de termes évoquant des sentiments fréquents

à l'aise
à l'écart
abandonné
abattu
accepté
accueillant
accueilli
affectueux
agité
agressé
agressif
aimé
ambivalent
amer
amoureux
analysé
angoissé
anxieux
apprécié
attiré
audacieux
aux aguets

bafoué
bête
bien
bizarre
blâmé
blessé
bon
bousculé
brave

capable
chaleureux

chanceux
choqué
comblé
compétent
compris
conciliant
confrontant
confronté
confus
content
contrarié
contrôlé
coupable
courageux
couvé
craintif
crispé
cruel
curieux

d'attaque
débile
débordé
déchiré
décidé
découragé
déçu
défensif
défoulé
dégoûté
dépaysé
dépendant
déprécié
déprimé

déraciné
dérangé
dérangeant
désemparé
désespéré
désiré
désolé
détendu
différent
diminué
distant
divisé
dominé
drôle
dynamisé

ébranlé
écrasé
embarrassé
en colère
en compétition
en deuil
en forme
en prison
en règle
en sursis
en vacances
énervé
engourdi
ennuyé
enthousiaste
entouré
envié
épié

étonné
étourdi
étrange
exaspéré
excité
exigeant
exploité
exploiteur

fâché
faible
fasciné
fatigué
faux
fier
figé
flatté
forcé
fort
fragile
froid
frustré
furieux

gaffeur
gagnant
gâté
gêné
généreux

habile
hésitant
heureux
honnête

honteux	macho	passionné	scandalisé
hostile	mal	peiné	sceptique
	mal à l'aise	perdant	séduit
idiot	maladroit	perdu	sensible
ignorant	malheureux	perplexe	seul
ignoré	malhonnête	persécuté	soulagé
impressionné	maltraité	pessimiste	soupçonné
impuissant	manipulateur	piqué	soupçonneux
incapable	manipulé	préoccupé	sous-estimé
incertain	méchant	présent	soutenu
incompétent	méfiant	pressé	stimulé
incompris	menacé	prêt	stressé
indécis	méprisant	pris	stupide
indifférent	méprisé	pris au dépourvu	sûr de soi
indigné	mesquin	profiteur	surpris
inférieur	mis au défi	protégé	surprotégé
injuste	misérable	prudent	surveillé
inquiet	mort	puni	
insatisfait	mûr		tenace
insensible		raisonnable	tendre
instable	naïf	ralenti	tendu
insulté	nargué	rancunier	tenté
intéressé	négatif	rassuré	tiraillé
intimidé	négligé	récompensé	tourmenté
intrigué	nerveux	réconforté	trahi
inutile	neutre	reconnaissant	triste
invulnérable	normal	reconnu	trompé
isolé	nostalgique	reçu	troublé
		rejoint	
jaloux	objectif	reposé	utile
joyeux	obligé	résistant	utilisé
jugé	obsédé	respecté	
juste	optimiste	respectueux	valorisé
	oublié	responsable	victime
lâche	ouvert	révolté	vide, vidé
libéré		rusé	vieux
libre	paisible		visé
lié	paniqué	saisi	vulnérable
limité	paresseux	sans pitié	
loin	passif	satisfait	

Annexe 2

La formation à la relation d'aide

C ette annexe s'adresse aux formateurs et présente deux activités pédagogiques utilisées avec profit pendant de nombreuses années et qui constituent des outils précieux pour la formation des aidants. La première activité constitue une formule légèrement différente de la formule tradition-nelle de l'entrevue officielle supervisée individuellement. Elle repose sur une grille de préparation à la supervision qui peut être utilisée dans un groupe d'une demi-douzaine à une quarantaine de participants. La deuxième activité consiste en une démarche d'apprentissage qui, à mon avis, remplace avantageusement les jeux de rôles.

▪ La première activité : une grille de supervision

Une fois qu'ils ont compris la nature et les utilisations possibles des différents outils de la relation d'aide, les aidants en formation sont prêts à faire leurs premiers essais sur le terrain. (Cela survient après le premier exercice dans lequel ils ont exploré les différents types d'intervention, et après avoir vu les chapitres 6 et 7 sur le reflet et la focalisation.)

La consigne : demander à un proche de s'exprimer pendant une vingtaine de minutes sur un sujet qui le préoccupe, en lui disant que cet entretien sera utilisé dans le cadre d'une démarche de formation. Ceux qui en ont la possi-bilité peuvent utiliser une relation d'aide menée spontanément dans le cadre de leur travail, ou encore dans leur milieu familial.

Le plus tôt possible après l'entrevue, l'aidant transcrit, le plus fidèlement possible, l'essentiel de ce que l'aidé a dit, ainsi que ses propres interventions. Il prépare ensuite son rapport à l'aide de la grille suivante :

NOM	
NUMÉRO DU RAPPORT	
DATE	
SITUATION DE DÉPART	Qui me parle ? Où ? De quoi ? Pendant combien de temps ? Qui a demandé l'entrevue ?
FORMULATION DU PROBLÈME DE L'AIDÉ	(Pas plus de deux lignes.)
EXTRAITS DE L'ENTREVUE	L'aidant transcrit ici l'essentiel de l'entrevue (si celle-ci a été brève, ou bien les extraits les plus significatifs s'il

	y a beaucoup de matériel), en indiquant chacune de ses interventions : silence, reflet, focalisation, confrontation, etc.
COMMENTAIRES	Quelle est l'intervention dont je suis le plus satisfait et pourquoi ? Quelle est celle dont je suis le moins satisfait et pourquoi ? Par quelle intervention aurais-je pu remplacer cette dernière ? Enfin, l'aidant formule un commentaire sur l'ensemble de ses interventions et, au besoin, il inscrit ses questions relatives à celles-ci.

Le tout peut tenir en quatre ou cinq pages, plus ou moins, selon le type d'entrevue, les exigences du formateur ou l'énergie que l'aidant veut investir dans la démarche.

■ Une illustration de la grille

Voici, à titre d'exemple, un rapport rédigé à partir de cette grille :

SITUATION DE DÉPART	Je reviens d'une sortie. Ma fille de dix-huit ans, Suzanne, se précipite dans mes bras. Elle est en larmes et me dit : « Maman, je dois te parler. »
FORMULATION DU PROBLÈME	Ma fille se demande : « Est-ce que je dois garder le bébé ou me faire avorter ? »
EXTRAITS DE L'ENTREVUE	
Moi	— Que se passe-t-il, ma grande ? (Soutien.)
Suzanne	— Maman, tu ne seras pas fière de moi. Je suis enceinte de deux mois et je ne sais plus ce que je dois faire. Est-ce que je dois garder le bébé ou me faire avorter ?
Moi	— Ma grande, quand je te dis *avortement,* qu'est-ce que ça veut dire pour toi ? (Focalisation.)
Suzanne	— Ça veut dire une amputation. C'est comme si on m'enlevait une partie de moi-même. C'est pire que si on me coupait un bras ou une jambe. (*Silence.*)
Moi	— Et si je te dis *bébé,* qu'est-ce que ça te dit ? (Confrontation.)
Suzanne	— J'ai l'impression que je vais perdre ma liberté, que ça va vous occasionner beaucoup de problèmes, à toi

	et à papa. Mon corps va se déformer. Je me sens trop jeune pour assumer cette responsabilité.
Moi	— Tu as l'air ambivalente dans ta décision. (Reflet.)
Suzanne	— Oui et non. Je ne me sens pas capable d'avorter parce que, pour moi, c'est un meurtre. Si vous m'aidez, je vais être capable de vivre ça.
COMMENTAIRES	Ce fut une relation d'aide difficile pour moi, car je me sentais directement concernée par la décision de ma fille, même si le choix lui revenait. J'étais ébranlée et émue, mais je pense lui avoir apporté le soutien dont elle avait besoin. Elle va poursuivre sa grossesse et elle occupera le trois-pièces au sous-sol.

Dans ce rapport, l'aidante a omis de déterminer son intervention la plus satisfaisante et son intervention la moins satisfaisante et de justifier ses choix.

■ La méthode de correction

Une fois qu'il a le rapport en main, le formateur y inscrit ses observations à l'intention de l'aidant, en vérifiant les points suivants :

1. La situation de départ est-elle suffisamment bien décrite ? (Ici, l'information donnée nous situe bien.)

2. La formulation du problème est-elle appropriée à la situation ? (Dans la négative, le formateur peut proposer sa propre formulation, à l'aide des points de repère donnés au chapitre 4. Ici, la formulation du problème est acceptable, bien que, pour donner du pouvoir à l'aidée sur son problème, on puisse suggérer la formulation suivante : « J'ai à décider si je dois poursuivre ou interrompre ma grossesse. »)

3. Les interventions sont-elles bien identifiées ? (Dans notre exemple, la première intervention, désignée comme étant un soutien, correspond plutôt à une focalisation. Les autres interventions sont correctement identifiées. Il y a souvent lieu de suggérer quelques interventions de son cru, en lieu et place de celles qui sont contenues dans le rapport, notamment des reflets plus précis et des focalisations mieux ciblées.)

4. Les choix de l'aidant concernant sa meilleure et sa moins bonne intervention sont-ils pertinents et justifiés ? L'aidant réussit-il à bien reformuler son intervention la moins bonne ? Ses commentaires d'ensemble sont-ils pertinents ? Il arrive souvent que ces commentaires ne traitent pas des interventions de l'aidant, comme c'est le cas dans notre exemple. Au besoin, le formateur peut ajouter ses propres commentaires.

5. Le formateur doit maintenant décider si le rapport contient des points qui peuvent faire l'objet d'une supervision de groupe. Par exemple, il peut présenter au groupe la situation de départ ainsi que des extraits du rapport, et demander aux participants :

- s'ils acceptent la formulation du problème ou s'ils en auraient une autre à proposer ; au besoin, le formateur peut par la suite ajouter sa propre formulation ;

- de relever une intervention qui figure dans le rapport (reflet, focalisation, etc.), d'en commenter l'à-propos et d'en proposer une meilleure au besoin ;

- de s'exprimer sur les commentaires globaux de l'auteur du rapport, ou encore de tenter de répondre aux questions que celui-ci se pose (par exemple : « Vous est-il déjà arrivé de mener une relation d'aide délicate avec un de vos proches, et si oui, comment avez-vous vécu cela ? »).

Le formateur peut aussi relever une intervention qu'il trouve particulièrement pertinente ou bien formulée et souligner son impact sur la suite de l'entretien.

Dès le départ, les participants sont informés du fait que leur rapport est susceptible de donner lieu à une supervision de groupe. S'ils le jugent nécessaire, ils peuvent toujours inscrire la mention *CONFIDENTIEL* dans la marge supérieure de la première page. Dans ce cas, leur rapport sera corrigé, mais il ne sera pas commenté en groupe. Dans tous les cas, les participants sont avertis du caractère confidentiel que revêt toute relation d'aide, et on leur demande de ne pas en parler en dehors des rencontres de formation.

On peut aussi mentionner aux participants que si leur rapport n'est pas utilisé pour la supervision de groupe, cela ne signifie pas qu'il est de moins bonne qualité, mais simplement qu'il se prêtait moins bien à cette activité, vu les contraintes de temps.

Lorsqu'on remet la grille qui doit servir à l'élaboration du rapport, on recommande aux participants de prendre connaissance de l'exemple fourni, de manière à bien comprendre la démarche proposée. Enfin, le nombre d'entrevues varie selon la durée de la formation. On pourrait, par exemple, en prévoir deux dans le cadre d'un cours de quarante-cinq heures.

▪ Une formule de remplacement des jeux de rôles

On utilise fréquemment les jeux de rôles dans la formation à la relation d'aide, mais ceux-ci présentent un inconvénient majeur. La personne qui *joue le rôle* de l'aidé *fait semblant* d'avoir un problème, par exemple un problème de communication avec un adolescent ou un parent.

Mais tous ne sont pas des comédiens-nés, et cela complique la tâche du participant qui *joue le rôle* de l'aidant. Celui-ci doit décoder des sentiments que l'aidé *fait semblant* d'avoir, tandis que l'aidé essaie d'improviser des répliques vraisemblables en réponse aux interventions de l'aidant.

Les jeux de rôles sont parfois amusants, mais les performances des *joueurs* sont souvent inégales, ce qui limite la valeur des apprentissages. Pour cette raison, je suggère la formule suivante, que j'ai longtemps utilisée. On demande si un participant accepte de se porter volontaire pour parler d'un problème qui le préoccupe réellement, et on demande si un autre participant accepte d'être l'aidant. (Précisons que l'aidé n'a pas à parler de son plus gros problème!)

Les consignes sont les suivantes:

- Disposer deux chaises face à face devant le groupe, de sorte que les deux participants puissent oublier un peu le groupe et s'engager dans une véritable relation aidant-aidé.

- Les observateurs sont invités à noter les points qui les frappent, soit dans ce qui est exprimé par l'aidé, soit dans les interventions de l'aidant et dans les réactions que celles-ci déclenchent chez l'aidé.

- Le formateur met un terme aux échanges après une dizaine de minutes, mais l'aidant ou l'aidé peuvent s'arrêter en tout temps dès que l'un ou l'autre devient mal à l'aise dans la démarche. Il est rare qu'un aidé interrompe la démarche avant le temps fixé. En revanche, il arrive souvent que l'aidant atteigne un point où il se sent bloqué. Lorsque la situation s'y prête, on demande alors au groupe quelle intervention on pourrait faire pour redémarrer l'entretien, ou encore, on demande si un autre participant veut venir prendre la place de l'aidant. Sinon, on passe à l'étape suivante.

- Les participants disposent de quelques minutes pour préparer leurs réactions. Ils doivent notamment préparer leur formulation du problème, ainsi que quelques observations portant sur les interventions de l'aidant.

- Le formateur inscrit au tableau cinq ou six formulations du problème suggérées par les participants et y ajoute parfois la sienne. Puis, le groupe tente de déterminer la formulation la plus adéquate, compte tenu des caractéristiques connues d'une bonne formulation. À cette étape, on peut demander à l'aidé de désigner la formulation dans laquelle il se retrouve le plus. Il y a parfois lieu de rappeler à ce moment-ci que la démarche de relation d'aide comme telle est terminée, car certains participants sont parfois tentés de demander à l'aidé des précisions additionnelles sur son problème.

- On examine ensuite les interventions de l'aidant. Au besoin, on formule des interventions qui auraient pu être faites (surtout des reflets et des focalisations). On vérifie le rythme de l'entretien: l'aidant est-il intervenu trop souvent, s'est-il centré trop vite sur la solution, a-t-il au contraire laissé l'aidé à lui-même sans le stimuler dans son exploration...

- On demande à l'aidé comment il s'est senti, ce qui lui a facilité la tâche et ce qui a pu lui nuire... On donne aussi la parole à l'aidant pour lui permettre de dire comment il a vécu la démarche. La limite d'une dizaine de minutes peut sembler difficile pour l'aidé, mais les personnes qui se portent volontaires pour ce rôle sont invitées à le faire en partie pour leur bénéfice personnel, mais surtout à titre de contribution aux apprentissages de leurs pairs.

- Par ailleurs, entre la fin de la brève entrevue et le moment où l'on passe à une autre activité, il s'écoule souvent un intervalle de quarante-cinq minutes, soit le temps requis pour que les participants puissent préparer leurs commentaires, écrire au tableau les différentes formulations du problème, en discuter et revenir sur les interventions de l'aidant, etc.

Il arrive souvent qu'un aidé affirme avoir apprécié cette suite de la démarche, parce que cela lui a permis d'intégrer cette expérience et de mieux comprendre son problème. Certains vont même jusqu'à donner des nouvelles au groupe à la rencontre suivante, soit à propos de prises de conscience ou de changements qu'ils ont notés dans leurs façons de faire...

Quant aux autres participants, ils disent souvent avoir profité des observations qu'on leur a faites sur leur approche comme aidant, des occasions qu'ils ont ainsi eues d'acquérir leur habileté à formuler le problème de l'aidé, ou des clarifications qu'ils ont obtenues sur les différents enjeux d'une vraie relation d'aide spontanée.

Corrigé des exercices

Chapitre 1 Une exploration des types d'intervention

	Cas 1	Cas 2	Cas 3	Cas 4	Cas 5	Cas 6	Cas 7	Cas 8
Reflet	1	2	8	7	6	4	2	1
Focalisation	2	8	6	4	3	5	7	2
Confrontation	3	6	5	2	7	1	3	4
Question fermée	4	7	1	6	2	7	4	3
Interprétation	5	3	4	5	8	2	8	6
Recherche de solutions	6	1	2	3	4	6	1	5
Soutien	7	5	7	8	1	3	5	8
Implication	8	4	3	1	5	8	6	7

- Reflet
- Focalisation
- Confrontation
- Question fermée

- Interprétation
- Recherche de solutions
- Soutien
- Implication

Chapitre 4 La formulation du problème

■ Premier cas

1. « Mon problème, c'est de me préparer à quitter une maison à laquelle je suis attachée. »

2. « Mon problème, c'est que je me sens obligée de quitter ma maison. »

Dans la première formulation, l'aidant pose l'hypothèse que le problème principal de l'aidée est d'apprivoiser l'idée d'une rupture pénible. Selon la deuxième formulation, l'aidant a recueilli des indices qui l'amènent à croire que l'aidée s'oblige à quitter sa maison, peut-être à cause de ses idées sur ce qu'il convient de faire lorsqu'on est âgé, ou encore sous la pression d'un proche.

■ Deuxième cas

1. « Mon problème, c'est de trouver comment intervenir sans compromettre ma relation avec ma fille. »

2. « Mon problème, c'est d'apprendre à vivre avec les choix de ma fille. »

Selon la première formulation, l'aidant tient pour acquis que l'aidée doit intervenir et que son problème se situe sur le plan de l'exploration des modalités de cette intervention. La deuxième formulation laisse au contraire entendre que l'aidée doit se remettre en question dans sa façon de réagir au comportement de sa fille.

Ces deux exemples nous montrent que la formulation du problème n'est pas toujours exempte de l'influence des valeurs de l'aidant. En effet, on peut présumer qu'un aidant favorable à l'institution du mariage privilégiera la première formulation, tandis qu'un aidant favorable au respect des choix de chacun privilégiera la seconde.

Une meilleure formulation pourrait prendre la forme suivante : « Mon problème, c'est que je ne sais pas si c'est ma fille qui a raison ou si c'est moi. » (Cet énoncé pourrait constituer en même temps une bonne reformulation.)

■ Troisième cas

1. « Mon problème, c'est de réaliser que j'ai autant de valeur que n'importe qui et de prendre progressivement ma place. »

2. « Mon problème, c'est de mieux reconnaître mes peurs et de voir si elles sont justifiées. »

La première formulation va amener l'aidant à attirer l'attention de l'aidé sur l'image qu'il a de lui-même et à explorer avec lui des façons concrètes et réalistes de prendre de l'assurance.

Avec la deuxième formulation, l'aidant va plutôt amener l'aidé à explorer et à critiquer ses peurs.

■ Quatrième cas

1. « Mon problème, c'est de trouver une façon d'amener ma fille à arrêter de mouiller son lit. »

2. « Mon problème, c'est de concilier mon travail et mes exigences familiales. »

La première formulation se centre sur le problème spécifique de l'enfant, tandis qu'avec la deuxième formulation on prend du recul pour se préoccuper de l'impact du nouveau travail de l'aidée sur sa vie familiale.

Il n'est pas toujours nécessaire d'aller plus en profondeur et il est parfois légitime de se centrer sur un problème plus restreint, quitte à modifier sa formulation en cours de route. En cas de doute, on peut simplement poser la question suivante à l'aidée : « Est-ce le problème de votre fille qui vous préoccupe le plus ou le fait de vous adapter à votre nouveau travail ? »

Cette question pourrait faire ressortir de nouvelles données et amener l'aidant à modifier la formulation comme suit : « Mon problème, c'est d'amener mon conjoint à participer davantage aux tâches familiales... »

■ Cinquième cas

1. « Mon problème, c'est de prendre position face à la demande de mon fils de m'emprunter de l'argent. »

2. « Mon problème, c'est de prendre position face à un fils que je considère comme peu responsable. »

Il est difficile à ce point-ci de déterminer si le problème principal de l'aidé porte sur la décision immédiate qu'il a à prendre ou sur sa lassitude à l'égard de la dépendance chronique de son fils, dont la dernière demande n'est qu'un exemple de plus.

■ Sixième cas

1. « Mon problème, c'est de surmonter mon sentiment de culpabilité et de me décider à demander à mon fils d'aller vivre ailleurs. »

2. « Mon problème, c'est d'établir des règles claires concernant les agissements de mon fils et d'exiger que celui-ci les respecte sous peine de devoir aller vivre ailleurs. »

Pour choisir laquelle de ces formulations définit le mieux le problème de l'aidée, l'aidant peut lui soumettre les deux et lui demander laquelle traduit le mieux son problème. Il ne faut cependant pas s'attendre, surtout en début d'entretien, à ce que l'aidé soit toujours capable d'analyser clairement la situation. Sa façon de réagir aux formulations de l'aidant peut cependant traduire quelque chose de ses sentiments, tout en lui permettant de progresser dans son exploration.

■ Septième cas

1. « Mon problème, c'est de mieux m'alimenter pour prendre en considération l'enfant que je porte. »

2. « Mon problème, c'est d'apprendre à devenir responsable d'une autre personne qui va avoir besoin de moi longtemps. »

Encore ici, la première formulation se centre sur le problème spécifique, tandis que la deuxième s'intéresse à un défi plus global que l'aidée doit relever. Il serait indiqué d'adopter provisoirement la première formulation, tout en gardant la deuxième en réserve.

■ Huitième cas

1. « Mon problème, c'est d'apprivoiser la révolte et la colère qui m'habitent encore face aux agissements de mon père. »

2. « Mon problème, c'est de finir de me réconcilier avec mon passé. »

Encore une fois, la première formulation est plus spécifique et porte sur le défi immédiat à relever, tandis que la seconde englobe l'ensemble des tâches qui attendent la personne qui a subi un inceste.

Chapitre 5   Mario encore en prison

Les quatre premiers silences de l'aidante sont pertinents, car ils permettent à l'aidé de se sentir accueilli et écouté et de procéder à son rythme.

On peut également considérer le cinquième silence comme justifié. En effet, il peut permettre à l'aidé de surmonter sa résistance en se préparant à nommer certains éléments plus pénibles. Mais le fait que celui-ci regarde le plancher peut aussi signifier qu'il ne veut plus parler, ce qui semble confirmé par le fait qu'il se met ensuite à fixer le mur. Il serait donc indiqué d'intervenir à ce stade-ci, de sorte que l'on pourrait considérer le sixième silence de l'aidante comme inapproprié.

Ce silence aurait pu être remplacé par un reflet-reformulation du genre : « Tu trouves ça dur d'avoir bousillé ta transition comme ça. »

Ou encore par une focalisation comme : « Qu'est-ce qui se passe dans ta tête en ce moment ? »

On sait que Mario a un problème de consommation. Il est probablement en sevrage et il a peut-être besoin d'en parler ou de parler de sa relation compromise avec son père et sa sœur. Peut-être alors pourrait-il aussi interroger la criminologue sur son programme de réhabilitation ou sur la date probable de sa libération... Cette focalisation aurait ainsi pour effet de lui permettre de reprendre le contrôle de son exploration.

Cette focalisation demeurerait centrée sur l'univers subjectif de Mario. Une focalisation formulée différemment pourrait l'inviter à se centrer sur ses projets : « Qu'est-ce que tu as l'intention de faire à partir de maintenant ? »

Cette intervention aurait pour effet de l'amener à se détacher provisoirement de son sentiment d'échec pour le centrer sur la prise en charge de son avenir immédiat : réussir son sevrage, s'engager dans un programme de musculation, finir le secondaire, s'inscrire à l'un des ateliers du centre, etc. Ce faisant, la criminologue se détacherait un peu de son rôle d'aidante pour s'acheminer vers un autre volet de son travail, par exemple celui de bâtir un programme de réhabilitation avec ce détenu.

Chapitre 6 Le reflet et la reformulation

■ **Premier cas**

(*Surprise.*) — Ça te surprend que ton père ait fait ça.

■ **Deuxième cas**

(*Envie.*) — Tu aurais aimé que ton père pense à toi avant de penser au voisin.

■ **Troisième cas**

(*Fierté.*) — Vous vous sentiez fier d'être grand-père.

■ **Quatrième cas**

(*Indignation.*) — Ça vous dépasse qu'il s'en prenne à votre fille pour vous atteindre.

■ **Cinquième cas**

(*Plaisir.*) — Vous appréciez sa complicité.

- **Sixième cas**

  (*Regret.*) — Tu regrettes d'avoir dû interrompre tes études juste parce que tu étais l'aînée.

- **Septième cas**

  (*Inquiétude.*) — Tu trouves ça trop beau pour que ça dure.

- **Huitième cas**

  (*Déception.*) — Ça te déçoit que ton père ne tienne pas parole.

- **Neuvième cas**

  (*Peur.*) — Vous préférez ne pas vous plaindre, par peur des représailles.

- **Dixième cas**

  (*Impatience.*) — Il n'est pas facile à endurer.

Chapitre 8 Un défi à M. Martin

Toutes les interventions sont des confrontations (sauf la dernière phrase de l'intervention 5, qui est un contrôle. Techniquement, l'intervention 3 est une reformulation, mais elle est en même temps une confrontation, car l'aidante continue à mettre de la pression sur l'aidé pour qu'il assume la responsabilité de son problème.

- **Les facteurs qui contribuent à rendre ces interventions pertinentes :**

1. Il s'agit d'une intervention de crise où le bien-être de l'aidé et de ses proches est en jeu et où le temps pour trouver une solution est limité (voir le chapitre 14).

2. Cette obligation de résultats rapides amène l'aidante à jouer un rôle plus actif dans lequel la confrontation devient alors un outil privilégié.

3. L'usage répété de la confrontation se justifie aussi par le fait que l'aidante a d'abord créé un lien avec l'aidé (ici, en lui permettant notamment de « s'exprimer assez spontanément sur son passé »).

4. On peut penser que l'aidante observe une neutralité bienveillante et fait preuve d'empathie en se situant dans le cadre de référence de l'aidé : « Est-ce que ça vous surprend... ? »; « Vous avez l'impression que... » ; « Avez-vous l'impression que... ? » Le non-verbal (contact visuel, posture et gestuelle, surtout) et le paraverbal (débit et ton de voix, notamment) nous permettraient de confirmer ou d'infirmer cette lecture, car les mêmes mots peuvent être prononcés d'une façon bienveillante ou d'une façon bousculante et réprobatrice.

Dans le cas d'un non-verbal et d'un paraverbal empathiques, cet entretien a des chances de porter ses fruits, d'une part parce que l'aidante semble avoir réussi à être perçue comme une interlocutrice crédible, et d'autre part parce que sa dernière intervention invite l'aidé à devenir un partenaire : « J'ai besoin que vous m'aidiez à voir comment *on* pourrait faire ça. »

Ce cas soulève de nombreux enjeux, notamment le risque pour l'aidant d'adopter d'une façon non critique le point de vue de la première personne rencontrée (ici, la fille ayant initié la rencontre risque d'être perçue comme la victime et le père comme le bourreau). Un deuxième enjeu concerne la difficulté de susciter une relation d'aide lorsque l'entrevue n'est pas sollicitée (ce qui rend l'alliance thérapeutique plus difficile à établir et, par conséquent, la collaboration de l'aidé potentiel plus difficile à obtenir). Un troisième enjeu réside dans les compromis que la relation d'aide dans le quotidien oblige souvent à faire. Ici, par exemple, la confidentialité est loin d'être assurée. Marie-Lise et M. Martin s'entretiennent-ils dans une pièce fermée, ou bien la fille peut-elle prêter l'oreille à leurs échanges ? D'autre part, comme c'est elle qui a demandé l'intervention, elle s'attend probablement à ce que l'aidante lui fasse part de la réaction de son père. Pour éviter ces problèmes, plusieurs intervenants auraient choisi de rencontrer la fille et le père ensemble.

Chapitre 9 Le mariage de Mme Malette

Les quatre interventions de Stéphane sont des questions fermées (auxquelles on peut répondre par oui ou non, ou par une brève information objective).

Ces questions fermées ne communiquent pas à l'aidée qu'on a saisi et accueilli son message de fond, que l'on pourrait formuler comme suit : « J'ai fait une grosse erreur en me mariant trop rapidement. »

Des reflets auraient pu atteindre cet objectif, tout en contribuant à stimuler l'exploration de Mme Malette. Voici des exemples :

Stéphane (1) — Vous avez l'air de le regretter, ce mariage-là. (Reflet de la frustration.)

Stéphane (2) — Si vous aviez mieux connu votre prétendant, vous ne l'auriez pas épousé. (Reflet du sentiment d'avoir commis une erreur en se mariant rapidement.)

Stéphane (3) — Aujourd'hui, vous feriez les choses différemment... (Reflet du regret.)

Bref, il faut demeurer à l'affût du mot important dans le message d'un aidé (« Mon *fameux* mariage, une *courte* fréquentation, c'était *supposé* être assez... »), et le retourner à l'aidé dans une formulation concise et aiguisée.

Chapitre 10 Mme Côté et ses chiens

Carole (1) — Je comprends pourquoi vous avez eu tant de peine à la mort de vos chiens.

Cette intervention est à la fois une implication (équivalent à : « Ça me touche, ça me rejoint ») et un soutien (« J'entends votre peine »).

Il aurait été préférable de recourir à un reflet qui aurait fait ressortir plus clairement le sentiment principal de l'aidée, qui semble être sa tristesse d'aujourd'hui face à la solitude de toute sa vie :

« C'est dur de perdre ses chiens quand personne d'autre nous aime... » Ou : « Ça vous rend triste de penser que les seuls amis que vous avez eus pendant toute votre vie, ce sont vos chiens. »

Carole (2) — Ça n'est jamais facile de s'occuper d'une personne aveugle.

Cette intervention est aussi un soutien, qui ignore le message répété de l'aidée, que l'on pourrait formuler comme suit : « Quand je regarde ma vie, je vois peu de joies et beaucoup de peines et cela me rend triste. »

Une meilleure intervention serait un reflet plus précis : « Vous trouvez que la vie ne vous a pas beaucoup gâtée. »

Carole (3) — Est-ce que c'était un accident ?

Il s'agit d'une question fermée, qui n'aide pas Mme Côté à se sentir comprise ni à progresser dans l'expression et l'exploration de son vécu. Encore ici, il serait préférable d'y aller avec un reflet de la tristesse actuelle : « Quand vous regardez en arrière, ça ne vous fait pas beaucoup de bons souvenirs... »

Malgré ses différentes erreurs techniques, l'infirmière essaie quand même de se mettre à l'écoute de sa patiente. Mais elle ne réussit que partiellement, car l'aidée reprend à plusieurs reprises son message de fond, ce qui est un signe qu'elle ne s'est pas encore sentie comprise.

On peut retenir de cet extrait qu'on a rarement besoin d'intervenir avec un soutien explicite et que, dans la majorité des cas, on doit se contenter d'un soutien implicite qui s'exprime par un reflet ou un reflet-reformulation à la fois précis et délicat, ou encore par une question ouverte, délicate elle aussi. L'essentiel est que l'aidé se sente à la fois écouté, compris, et par le fait même encouragé à aller plus loin dans son expression et son exploration.

Chapitre 11   Les jeux sexuels

Ces deux interventions sont effectivement des interprétations. Dans l'intervention 4 (« Je comprends que votre sœur était consentante et qu'elle était plutôt votre complice... »), l'aidante soumet sa compréhension à elle de la situation, de manière à inviter l'aidé à voir son problème sous un angle nouveau.

Dans l'intervention 5, elle poursuit dans la même lignée (« Ça ressemblait plus à des jeux sexuels... ») Elle complète ainsi le recadrage qui permet à l'aidé de considérer son problème sous un jour nouveau.

L'aidante reflète bien d'abord la culpabilité (interventions 1 et 3 et première partie de 4). Après avoir accueilli l'aidé à la première étape de son exploration (expression), elle décide de se situer à la deuxième étape (compréhension) en ayant recours à l'interprétation. La réaction de l'aidé donne à entendre que ces interventions lui ont été profitables.

Elle aurait pu aussi relancer l'exploration avec un reflet: «Ça vous amène à porter un autre regard sur ces épisodes...» Ou encore avec une focalisation: «Comment vous sentez-vous en considérant ces épisodes en termes de complicité de jeux sexuels plutôt qu'en termes de relation d'agresseur et de victime?» Ces interventions auraient permis à M. Paul de poursuivre l'exploration de son vécu.

Notons que l'interprétation de l'aidante pourrait être hasardeuse si elle se basait uniquement sur le fait que la sœur «avait l'air d'aimer ça», ce qui est l'excuse habituelle des agresseurs sexuels. Mais l'aidante a probablement tenu compte de plusieurs autres indices: M. Paul parle au «je», il est en contact avec sa culpabilité, il s'est excusé et il s'interroge sur les impacts possibles de ses gestes...

Chapitre 12 Le rejet du fils homosexuel

■ La formulation du problème

On peut situer le problème de M. Louis à un niveau concret:

«Mon problème, c'est de trouver une façon de retrouver mon fils pour lui demander pardon.»

Et on peut aussi situer ce problème à un niveau plus profond:

«Mon problème, c'est de me pardonner ma rigidité et mon entêtement qui ont beaucoup fait souffrir mon fils et mon épouse, afin de pouvoir mourir en paix.»

Alors que la première formulation nous centre sur un enjeu pratique et aléatoire (trouver une façon de retrouver le fils), la deuxième donne à l'aidé du pouvoir sur son problème: il peut, ici et maintenant, faire face à ses gestes passés et tenter de se réconcilier avec son parcours de vie.

■ Les interventions de Carmen

1. La première intervention de Carmen est un silence.

2. La deuxième est un reflet (du regret).

3. La troisième est une recherche de solution. Mais, techniquement, c'est aussi un reflet (de la satisfaction face à la solution entrevue).

(«Est-ce qu'il est trop tard pour faire quelque chose?») Cette intervention invite l'aidé à passer directement à la troisième étape (exploration des scénarios de solution), escamotant ainsi la deuxième (comprendre et se comprendre). Mais surtout, cette intervention ignore le sentiment intense qui étreint l'aidé:

M. Louis (*La voix cassée*.) — Oui, j'ai été tellement égoïste.

Au lieu de se centrer tout de suite sur la solution, Carmen aurait dû refléter ce douloureux reproche que l'aidé s'adresse à lui-même:

«Vous avez beaucoup de difficulté à vous pardonner votre geste.»

4. Par contre, la quatrième intervention («Comme ça, vous allez vous sentir mieux») permet à l'aidé d'orienter la suite de l'entretien comme il l'entend, soit en revenant à l'étape 1 pour continuer à parler de son vécu (regrets, culpabilité, désir de réparer ses erreurs et de se faire pardonner, etc.), soit en se situant à l'étape 2 (comprendre pourquoi il a agi comme il l'a fait et ce que cela lui apprend sur lui-même, réfléchir au climat social et religieux de l'époque comme facteur atténuant, etc.), soit enfin en continuant d'explorer l'étape 3 (par exemple en précisant le contenu de son projet de lettre).

Carmen pourrait terminer l'entretien de la façon suivante : « Aimeriez-vous écrire votre lettre et me la lire à ma prochaine visite ? » Cette suggestion pourrait aider M. Louis à progresser vers la solution de son problème. Cette relecture à haute voix devant l'intervenante lui permettrait au besoin d'effectuer une autre boucle expression-compréhension-exploration d'une solution. Par exemple, il pourrait peut-être mieux comprendre son geste d'alors (éconduire son fils), en le situant dans le regard religieux et social porté à l'époque sur l'homosexualité… Il pourrait peut-être aussi reconnaître sa tendance à prendre des décisions impulsives et unilatérales, sans tenir compte des sentiments d'autrui, ce qui le mettrait en situation d'avoir à se réconcilier avec cet aspect de sa personnalité. Enfin, le fait d'être parvenu à ce scénario de solution pourrait lui permettre de cheminer plus sereinement vers la mort.

Ce cas illustre une fois de plus l'importance de parvenir le plus rapidement possible à une bonne formulation du problème et également de situer l'aidé sur la trajectoire des trois étapes si l'on veut être en mesure d'intervenir d'une façon pertinente. Question de vigilance et de pratique…

Chapitre 13 Le conjoint violent

Gilles (1) est un contrôle (sur la gestion de l'entretien).

Gilles (2) est un reflet (du choc).

Gilles (3) est une focalisation (à l'aide d'une question ouverte).

Gilles (4) est une implication.

Gilles (5) est une information.

Gilles (6) est une implication.

Le bloc d'interventions 4-5-6 constitue globalement une confrontation, comme si l'aidant disait en substance : « Je trouve que tu as un problème de violence, et que c'est un problème sérieux. »

▪ Évaluation

Gilles a sans doute formulé mentalement le problème de Marcel (« J'ai besoin de regarder la violence qui m'habite »), ce qui lui a permis de le confronter clairement à ce problème. Cette intervention est d'autant plus pertinente que l'entrevue impromptue tire à sa fin et que l'aidant doit motiver l'aidé à se faire accompagner.

On peut prévoir que Marcel va réagir à peu près comme suit : « C'est plus grave que je pensais. Qu'est-ce que je devrais faire ? » Gilles pourra alors lui conseiller de demander de l'aide (programme d'aide aux employés, groupe d'accompagnement pour hommes violents, etc.).

■ Solutions de rechange

Plusieurs aidants ont peu recours à l'implication et à la confrontation. À la question de l'aidé «penses-tu qu'elle peut revenir?», ils répondraient comme suit:

«Je pense que ta femme est partie pour se protéger d'une plus grande violence encore. (Interprétation.) Qu'est-ce que tu pourrais faire pour qu'elle revienne?» (Question ouverte.)

Ces interventions auraient sensiblement le même effet, soit celui de centrer l'aidé sur son problème de violence.

On pourrait également privilégier le reflet du désarroi et de l'inquiétude:

«Tu sens que tu risques de la perdre. Et c'est tout ton univers qui s'écroulerait...»

L'approche de Gilles par une implication et une confrontation musclées a probablement porté ses fruits. Toutefois, elle comportait le risque que Marcel perçoive qu'il prenait le parti de son épouse et se sente blâmé. Les solutions de rechange suggérées diminuent ce risque tout en poursuivant le même objectif: aider le sujet à se situer face à sa violence.

Chapitre 14 Le partage du patrimoine

Le premier contrôle se situe dans la première intervention de Louise:

«As-tu le goût de m'en parler un peu?»

Ce contrôle porte sur l'encadrement de l'entretien. L'aidante offre à l'aidé de l'accompagner brièvement, au téléphone, dans l'exploration de son problème. Cette invitation est appropriée dans les circonstances.

On peut attribuer un deuxième contrôle à Louise dans sa quatrième intervention:

«Tu aimerais que Monique perde tout?»

Cette intervention avait probablement comme intention le reflet (du goût de se venger). Mais on peut aussi y voir un contrôle-réprobation issu des valeurs ou des préférences de l'aidante, qui se sent proche de l'ex-conjointe de son frère et qui tente ici de la protéger, peut-être inconsciemment.

On pourrait traduire plus clairement son message de la façon suivante: «Serais-tu assez mesquin pour vouloir ruiner Monique?»

La suite de l'entretien nous indique d'ailleurs que l'aidé va se sentir blâmé par l'aidante: «D'accord, j'ai tort et c'est elle qui a raison.»

Il aurait été plus prudent de refléter simplement: «Quelque part, tu te sens agressé et tu as envie de te venger». Ou mieux: «Tu ne te sens pas prêt à vendre la maison pour lui faciliter les choses...»

Le troisième contrôle se trouve à la sixième intervention de Louise:

«Penses-y. Il y a peut-être des solutions moins extrêmes. Tu as eu le papier aujourd'hui. Donne-toi un peu de temps.»

Cette intervention est un contrôle en situation de crise. L'aidé se trouve déstabilisé et l'aidante se voit justifiée de lui demander de s'abstenir de faire des gestes précipités, jugeant que des démarches légales pourraient s'avérer coûteuses et à la limite inutiles, tout en ayant comme conséquence d'envenimer la situation.

Un quatrième contrôle ressort à la septième intervention de Louise :

« Oui, je comprends. Mais tu sais que je suis restée proche de Monique. (*Silence.*) Je ne suis peut-être pas la bonne personne pour te conseiller. Je veux bien t'écouter, mais je ne me sens pas objective. »

Ce contrôle concerne la gestion de l'entretien. La sœur tente de se situer comme aidante au moyen de deux implications : « Je suis restée proche de Monique » et « Je ne me sens pas objective. » Malgré l'aveu de cette partialité, elle propose néanmoins de poursuivre l'entretien : « Je veux bien t'écouter... »

Ce contrôle constitue donc une directive embrouillée à l'intention de l'aidé : « Continue à explorer ton problème avec moi, même si je ne me sens pas à l'aise de t'accompagner... »

L'aidante aurait pu se limiter à enregistrer son tiraillement intérieur entre son lien avec son ex-belle-sœur et la frustration de son frère, et tenter de se centrer pour l'instant sur le vécu de celui-ci : « Ça m'a tellement enragé de lire ce papier-là. »

Elle aurait pu dire : « Je comprends ta mauvaise humeur. Tu réagis d'abord en pensant que tu risques de te faire mettre dehors de chez toi juste pour pouvoir satisfaire ton ex. » (Soutien léger suivi d'un reflet-reformulation.)

Les cinquième et sixième contrôles sont tous deux dans la huitième intervention de Louise :

« La question n'est pas d'avoir tort ou raison. Si tu veux bien, on oublie ça. »

La première phrase s'apparente à un contrôle-réprobation, l'aidante reprochant à l'aidé de se sentir blâmé. On a vu que ce type de contrôle méconnaît les valeurs, les résistances ou les difficultés de l'aidé. Ici, la directive équivaut à l'injonction suivante : « Il ne faut pas que tu te laisses arrêter par mon lien privilégié avec ton ex-conjointe et il faut que tu continues à me parler de ton problème d'une façon constructive... » Ou, plus simplement : « Arrête de penser que je te blâme. »

Enfin, l'aidante utilise un contrôle portant sur la gestion de l'entretien en décidant d'y mettre un terme : « Si tu veux bien, on oublie ça. »

Sentant qu'elle a perdu pied, l'aidante aurait pu formuler différemment ce contrôle concernant l'encadrement de l'entretien, en l'accompagnant d'un soutien : « Je suggère qu'on s'en reparle dans quelques jours. La poussière va être retombée un peu et je suis sûre qu'on va voir plus clair, tous les deux. Pourquoi ne viendrais-tu pas prendre un café chez moi samedi ? »

Malgré différentes maladresses, l'aidante a fait quelques bonnes interventions, dont la confrontation à sa cinquième intervention :

« Tu m'as dit qu'il était question de partager les biens familiaux... »

Cette confrontation aide Antoine à se situer dans la réalité : Monique ne veut pas nécessairement le dépouiller, elle demande simplement un partage équitable des biens communs.

Cette entrevue nous montre que l'aidant dispose en principe de tous les outils nécessaires pour bien manœuvrer, même dans des situations délicates ou émotivement chargées. En acquérant de l'expérience, on voit mieux venir les choses, et on se sent plus apte à y faire face adéquatement, et ce, même avec des proches.

Chapitre 15 Les résistances de Charles

La mère	— Qu'est-ce qui se passe, Charles ? (Focalisation.)
Charles	(*Silence, veut s'en aller.*)
La mère	(*Retient doucement la poignée de la bicyclette.*) (Contrôle.) — Est-ce qu'il y a quelque chose que tu aimerais me dire ? (Focalisation.)
Charles	— Ma mère ne sera pas là. Elle n'habite plus chez nous.
La mère	— C'est un gros secret que tu gardais pour toi. (Reflet du sentiment de marginalité.)
Charles	— Oui, je ne l'ai pas encore dit à André.
La mère	— Tu as peur que les gens te voient d'une façon différente parce que tes parents sont séparés ? (Reflet plus précis de sa peur, ou interprétation de l'origine de celle-ci.)
Charles	— Oui. (*Silence.*) Vas-tu quand même laisser André venir chez mon père en fin de semaine ?
La mère	— Oui, bien sûr. Tes parents se sont séparés, mais pour nous, tu restes toujours Charles. (Soutien par une implication.)

■ Commentaires sur l'entretien

Cette aidante en formation a réalisé un très bon entretien, compensant son peu d'expérience dans la relation d'aide par ses autres ressources (notamment son empathie, sa délicatesse et ses habiletés de communication).

Elle a su utiliser une variété d'outils disponibles dans son coffre : contrôle, focalisation, reflet, interprétation, implication, soutien… Un bon aidant met à profit l'ensemble de son répertoire d'interventions, selon les besoins du moment.

Il s'agit d'une relation d'aide impromptue et très brève, comme il en survient tous les jours si l'on sait se faire attentif et disponible. Il s'agit aussi d'une intervention qui se situe à la frontière entre le rôle d'aidant et celui de parent, comme cela pourrait aussi avoir été celui d'enseignant, d'infirmière, de collègue de travail, de voisin, etc.

Au mieux, l'aidé n'est généralement que semi-consentant à s'engager au début dans une relation d'aide. Dans la relation d'aide informelle, le contrat entre l'aidant et l'aidé demeure habituellement très implicite, car l'aidé est souvent bien peu conscient de son besoin d'aide.

Dans ce bref entretien, la résistance de l'aidé était à la fois très visible (rompre le contact en quittant les lieux) et facile à surmonter. Dans beaucoup d'autres cas, la résistance sera à la fois plus subtile et plus profonde, requérant alors beaucoup de patience de la part de l'aidant.

Voyons enfin comment l'aidante aurait pu manœuvrer dans le cas où Charles aurait continué à résister :

La mère   (*Retient doucement la poignée de la bicyclette.*) — Est-ce qu'il y a quelque chose que tu aimerais me dire ?

Charles   — Non.

La mère   — Est-ce que tu as changé d'idée ? Tu aimerais mieux qu'André n'aille pas chez toi en fin de semaine ?
Ou encore :
— Est-ce qu'il y a un secret que tu aimerais mieux garder pour toi ?

Bref, il y aurait eu lieu de continuer à aider Charles à surmonter sa résistance avec une ou deux interventions délicates et variées.

Chapitre 16 Les sentiments fréquents

Les réponses qui suivent sont proposées à titre d'exemples. D'autres réponses pourraient éventuellement se justifier aussi.

1. Ambivalent, tiraillé.
   (On doit souvent faire face à des situations de rechange inconfortables.)
2. Bizarre, drôle, étrange, dérangé, bousculé.
   (L'aidé se sent souvent troublé par un sentiment qu'il n'a pas encore reconnu.)
3. Coupable.
   (Il nous arrive souvent de sentir, à tort ou à raison, que nous ne correspondons pas aux normes sociales ou aux attentes de nos proches.)
4. Hésitant ou indécis.
   (Il arrive souvent qu'il nous manque des données pour nous prononcer ou que nous ayons des résistances à surmonter.)
5. À l'écart, différent, négligé, incompris, abandonné, blâmé, puni.
   (Ces états émotifs sont associés de près ou de loin à l'abandon ou au rejet, ou à la peur de l'abandon ou du rejet.)
6. Accepté, reconnu, admiré, apprécié, entouré.
   (Ces états émotifs sont associés, à l'inverse, à l'acceptation ou à la reconnaissance.)
7. Contrôlé, dominé, manipulé, récupéré, perdant.
   (Ces états émotifs surgissent lorsqu'une personne interfère avec notre autonomie.)
8. En deuil.
   (Il arrive souvent que nous devions faire face à diverses pertes : personnes, biens ou avantages, croyances et illusions... L'expérience du deuil est associée à de multiples émotions : tristesse et colère, mais aussi confusion, regrets et culpabilité, sentiment de désorganisation, etc.)

Bibliographie

ALDERSON, M. 2006. « Le prendre soin des autres : un facteur de santé plutôt qu'un facteur de risque mais... à certaines conditions ». *Équilibre*, vol. 1, n° 2, p. 31-41.

BARGLOW, P. 2005. « Disclosure in Psychotherapy ». *American Journal of Psychotherapy*, vol. 59, n° 2, p. 83-99.

BARRETT-LENNARD, G. 1997. « The Recovery of Empathy — Toward Others and Self ». Dans *Empathy Reconsidered*, A. BOHART, L. GREENBERG et autres (dir.). Washington, D.C. : American Psychological Association, p. 103-121.

BERLINCIONI, V. et S. BARBIERI. 2004. « Support and Psychotherapy ». *American Journal of Psychotherapy*, vol. 58, n° 3, p. 321-334.

BIRON, L. 2006. « Climat social d'errance sur le plan des valeurs : mise à l'épreuve pour l'intervenant ». *Équilibre*, vol. 1, n° 2, p. 19-27.

BOHART, A. et L. GREENBERG. 1997. « Empathy : Where Are We and Where Do We Go from Here ? ». Dans *Empathy Reconsidered*, A. BOHART, L. GREENBERG et autres (dir.). Washington, D.C. : American Psychological Association, p. 419-448.

BOHART, A., L. GREENBERG et autres (dir.). 1997. *Empathy Reconsidered : New Directions in Psychotherapy*. Washington, D.C. : American Psychological Association.

BOWLBY, J. 1988. *A Secure Base, Parent-Child Attachment and Healthy Human Development*. New York : Basic Books.

CAPOBIANCO, J. et B. FARBER. 2005. « Therapist Self-Disclosure to Child Patients ». *American Journal of Psychotherapy*, vol. 59, n° 3, p. 199-212.

CHADDA, T. et R. SLONIM. 1998. « Boundary Transgression in the Psychotherapeutic Framework : Who Is the Injured Party ? ». *American Journal of Psychotherapy*, vol. 52, n° 4, p. 489-500.

CROMBEZ, J.-C. 1998. « Le corps qui ne dit mot ». *Filigrane*, vol. 8, n° 1, p. 86-104.

EGAN, G. 2002. *The Skilled Helper*, 7e édition. Brooks/Cole.

ELLIOTT, R et autres. 2004. *Learning Emotion-Focused Therapy : The Process Experiential Approach to Change*. Washington, D.C. : American Psychological Association.

ELLIS, A. 2002. *Overcoming Resistance : A Rational Emotive Behavior Therapy Integrated Approach*, 2e édition. New York : Springer.

FOA, E. et autres. 1995. « The Impact of Fear Activation and Anger on the Efficacy of Exposure Treatment for PTSD ». *Behavior Therapy*, n° 26, p. 487-499, cité par M. LINEHAN. Dans *Empathy Reconsidered*, A. BOHART, L. GREENBERG et autres (dir.). Washington, D.C. : American Psychological Association, p. 385.

FRIEDMAN, N. 2005. « Experiential Listening ». *Journal of Humanistic Psychology*, vol. 45, n° 2, p. 217-238.

GELSO, C. 2000. « Working Alliance ». Dans *Encyclopedia of Psychology*, A. KAZDIN (dir.). Oxford University Press, p. 274-276.

GLASS, L. 2003. « The gray areas of boundary crossings and violations ». *American Journal of Psychotherapy*, vol. 57, n° 4, p. 429-444.

GRAYBAR, S. et L. LEONARD. 2005. « In Defense of Listening ». *American Journal of Psychotherapy*, vol. 59, n° 1, p. 1-18.

GREENBERG, L. et R. ELLIOTT. 1997. «Varieties of Empathic Responding». Dans *Empathy Reconsidered*, A. BOHART, L. GREENBERG et autres (dir.). Washington, D.C.: American Psychological Association, p. 167-186.

HASS, W. 1997. «Psychotherapy: Some Guiding Principles». *American Journal of Psychotherapy*, vol. 51, n° 4, p. 593-606.

HARGIE, O. et D. DICKSON. 2004. *Skilled interpersonal communication, Research, theory and practice*, 4ᵉ édition. London and New York: Routledge.

HAYS, P. 2001. *Addressing Cultural Complexities in Practice, A Framework for Clinicians and Counselor*. Washington, D.C.: American Psychological Association.

HÉTU, J.-L. 1994. *Psychologie du mourir et du deuil*, 2ᵉ édition. Montréal: Méridien.

HILL, C. (dir.). 2001. *Helping Skills, The Empirical Foundation*. Washington, D.C.: American Psychological Association.

HILL, C. et K. O'BRIEN. 1999. *Helping Skills, Facilitating Exploration, Insight and Action*. Washington, D.C.: American Psychological Association.

IVEY, A. 1994. *Intentional interviewing and counselling: Facilitating client development in a multi-cultural society*, 3ᵉ édition. Pacific Grove, CA: Brooks/Cole.

IVEY, A., M. BRANDFORD IVEY et L. SIMEK-DOWNING. 1987. *Counseling and Psychotherapy, Integrating Skills, Theory, and Practice*, 2ᵉ édition. Englewood Cliffs: Prentice Hall.

JAMES, R. et B. GILLILAND. 2001. *Crisis intervention strategies*, 4ᵉ édition. Pacific Grove, CA: Brooks/Cole.

KOVITZ, B. 1998. «To a Beginning Psychotherapist: How to Conduct Individual Psychotherapy». *American Journal of Psychotherapy*, vol. 52, n° 1, p. 103-115.

LAFLEUR, J. et R. BÉLIVEAU. 1994. *Les quatre clés de l'équilibre personnel*. Montréal: Logiques.

LAMARRE, J. 2005. «Psychothérapie brève orientée vers les solutions». *Revue québécoise de psychologie*, vol. 6, n° 1, p. 55-71.

LINEHAN, M. 1997. «Validation and Psychotherapy». Dans *Empathy Reconsidered*, A. BOHART, L. GREENBERG et autres (dir.). Washington, D.C.: American Association, p. 353-392.

MACDOUGALL, C. 2002. «Roger's Person-Centered Approach: Consideration for Use in Multicultural Counseling». *Journal of Humanistic Psychology*, vol. 42, n° 2, p. 48-65.

MARTIN, J. 1994. *The Construction and Understanding of Psychotherapeutic Change: Conversation, Memories, and Theories*. New York: Teachers College Press.

MASCARO, N. et D. ROSEN. 2006. «The role of existential meaning as a buffer against stress». *Journal of Humanistic Psychology*, vol. 46, n° 2, p. 168-190.

MATHEWS, B. 1989. «The Use of Therapist Self-Disclosure and Its Potential Impact on the Therapeutic Process». *Journal of Human Behavior and Learning*, vol. 6, p. 25-29, cité par D. SIMONE et autres, 1998, p. 174.

MCCARTHY, P. et N. BETZ. 2001. «Differential Effects of Self-Disclosing Versus Self-Involving Counselor Statements». Dans *Helping Skills, The Empirical Foundation*, C. HILL (dir.). Washington, D.C.: American Psychological Association, p. 389-396.

MIARS, R. 2002. «Existential Authenticity: A Foundational Value for Counseling». *Counseling and Values*, vol. 46, avril, p. 218-225.

MORGAN, B. et P. MACMILLAN. 1999. «Helping Clients Move Toward Constructive Change: A Three-Phase Integrated Counseling Model». *Journal of Counseling and Development*, vol. 77, printemps, p. 153-159.

NELSON-JONES, R. 2002. «Diverse goals for multicultural counselling and therapy».

Counselling Psychology Quarterly, vol. 15, n° 2, p. 133-143.

OKUN, B. 2002. *Effective Helping, Interviewing and Counseling Techniques,* 6e édition. Brooks/Cole.

ORDRE PROFESSIONNEL DES TRAVAILLEURS SOCIAUX DU QUÉBEC. [s d]. *Référentiel des compétences des travailleuses sociales et des travailleurs sociaux.*

PAULSON, B., D. TRUSCOTT et J. STUART. 1999. «Clients' Perceptions of Helpful Experiences in Counseling». *Journal of Counseling Psychology,* vol. 46, n° 3, p. 317- 324.

PERRAULT, C. 2006. «Perturbation et fatigue... Croissance et enthousiasme...» *Équilibre,* vol. 1, n° 2, p. 45-54.

POPE, K. et autres. 1987. «Ethics of Practice: The Beliefs and Behaviors of Psychologists as Therapists». *American Psychologist,* vol. 42, p. 993-1006, cité par D. SIMONE et autres, 1998, p. 174.

REID, W. 1999. «Le cadre analytique revisité». *Filigrane,* vol. 8, n° 2, p. 33-48.

RHÉAUME, J. 2006. «Le travail d'intervenant, entre plaisir et souffrance: quand le normal devient pathologique». *Équilibre,* vol. 1, n° 2, p. 3-16.

ROBITSCHEK, C. et P. MCCARTHY. 1991. «Prevalence of Counselor Self-Reference in the Therapeutic Dyad». *Journal of Counseling and Development,* vol. 61, p. 218-221, cité par D. SIMONE et autres, 1998, p. 174.

ROGERS, C. 1940. «The Process of Therapy». Dans *Journal of Consulting and Clinical Psychology,* vol. 60, n° 2, p. 163-164.

ROGERS , C. (dir.). 1967. *The Therapeutic Relationship and Its Impact,* Madison, Milwaukee: University of Wisconsin Press.

ROGERS, C. (1942) 1970. *La relation d'aide et la psychothérapie,* vol. 1. Paris: Les Éditions Sociales Françaises.

ROGERS, C. et R. SANFORD. 1985. «Client-Centered Psychotherapy». Dans *Comprehensive Textbook of Psychiatry,* 4e édition, H. KAPLAN et B. SADOCK (dir.). Baltimore: Williams and Wilkins, p. 1374-1388.

SANTÉ CANADA. 2001. *Guide sur le traumatisme vicariant: Solutions recommandées pour les personnes luttant contre la violence.* Ottawa.

SCATURO, D. 2005. *Clinical Dilemmas in Psychotherapy.* Washington, D.C.: American Psychological Association.

SCHWARTZ, R. et J. OLDS. 2002. «A Phenomenology of Closeness and its Application to Sexual Boundary Violation: A Framework for Therapist in Training». *American Journal of Psychotherapy,* vol. 56, n° 4, p. 480-493.

SHAMASUNDAR, C. 1999. «Understanding Empathy and Related Phenomena». *American Journal of Psychotherapy,* vol. 53, n° 2, p. 232-245.

SHARPLEY, C., D. MUNRO et M. ELLY. 2005. «Silence and rapport during initial interviews». *Counselling Psychology Quarterly,* vol. 18, n° 2, p. 149-159.

SIMONE, D. et autres. 1998. «An Investigation of Client and Counselor Variables That Influence Likelihood of Counselor Self-Disclosure». *Journal of Counseling and Development,* vol. 76, p. 174-182.

SMOLAR, A. 2003. «When We Give More: Reflections on Intangible Gifts from Therapist to Patient». *American Journal of Psychotherapy,* vol. 57, n° 3, p. 300-323.

ST-ARNAUD, Y. 1998. «La relation d'aide ponctuelle». *Interactions,* vol. 2, n° 2, p. 237-267.

STEENBARGER, B. 1992. «Toward Science-Practice Integration in Brief Counseling and Therapy». *The Counseling Psychologist,* vol. 20, n° 3, p. 403-450.

VANAERSCHOT, G. 1997. «Empathic Resonance as a Source of Experience-Enhancing Interventions». Dans *Empathy*

Reconsidered, A. BOHART, L. GREENBERG et autres (dir.). Washington, D.C. : American Psychological Association, p. 141-165.

VAN DEURZEN, E. et R. KENWARD. 2005. *Dictionary of Existential Psychotherapy and Counselling*. Sage Publications.

WADE, J. 2005. « The issue of race in counseling psychology ». *The Counseling Psychologist*, vol. 33, n° 4, p. 538-546.

WATSON, J. 2001. « Re-visioning Empathy ». Dans *Humanistic Psychotherapies, Handbook of Research and Practice*, D. CAIN et J. SEEMAN (éd.).

Washington, D.C. : American Psychological Association, p. 445-464.

WESTEFELD, J. et C. HECKMAN-STONE. 2003. « The Integrated Problem-Solving Model of Crisis Intervention : Overview and Application ». *The Counseling Psychologist*, vol. 31, n° 2, p. 221-239.

WIGER, D. et K. HAROWSKI. 2003. *Essentials of Crisis Counseling and Intervention*. John Wiley and Sons.

WILCOX-MATTHEW, L. et autres. 1997. « An Analysis of Significant Events in Counseling ». *Journal of Counseling and Development*, vol. 75, mars-avril, p. 282-291.